PEGGY WANG

說笑漢語

LE CHINOIS PAR L'HUMOUR

LAUGHING IN CHINESE

Second edition

繁簡合用版

1996

DISTRIBUTOR:
EAST ASIA LINGUISTIC SERVICE
1615, Rousseau Cres.,
Brossard, Quebec
Canada J4X 1S8

Le Fonds F.C.A.C. pour l'aide et le soutien à la recherche a accordé
une aide financière pour la rédaction de cet ouvrage.

Bibliothèque nationale du Québec
Bibliothèque nationale du Canada
Dépôt légal — 3e trimestre 1986

ISBN — 2-920286-09-9

SODILIS EDITEUR LIBRAIRE

MONTRÉAL CANADA

II

目　　录

TABLE DES MATIÈRES　　　　　　　　　　　　CONTENTS

繁簡合用版序

　　"説笑漢語"自 1986 年問世以來，深受歐美一些大學漢外教師們的喜愛，陸續選用爲初級、中級漢語課之補充教材。現應各校要求，特印制此繁體字、簡體字合用版本，以便能達到更佳的教學效果。

　　採用此繁簡合用版本時，教師對字體的選擇，可完全根據其所訂的教學原則及事實上的需要，按情況斟酌辦理。從簡、從繁、簡繁並重，先簡後繁或先繁後簡。但無論決定選用何種字體，另一種字體由於在書中也不斷出現，對學生必能起一種"耳濡目染"的作用，因此日後在接觸到另一種字體時，就不致對它有完全陌生的感覺。

　　繁簡合用版的特色爲"繁體爲主，簡體爲輔"。對每個單元原有的五個練習都作了一些變動。

(1)　聽聽部分:
　　除了看圖練習聽力以外，另加一頁拼音，以備學生在必要時查用書末生辭表之用。

(2)　念念部分:
　　先繁體字，後簡體字。並將原版本中漢字所註的拼音全部取消。其目的是爲了引導學生能扔掉拼音"拐杖"，儘早達到直接認讀漢字的習慣。

(3)　説説部分:
　　先繁體字，後簡體字。

(4)　想想部分:
　　先繁體字，後簡體字。

(5)　寫寫部分:
　　繁體字爲主，附加簡體字。

Peggy Wang , 1992

前　　言

　　"说笑汉语"是为初级和中级汉语课所设计的一本补充教材。无论是使用偏重语法教学的教科书或偏重功能、交际教学的教科书，都可以配用本书来提高学生听、念、说、写汉语的能力。

　　一般的汉语教科书，在内容方面比较缺乏趣味性。把情节有趣的幽默小故事配以生动的图片来作为补充教材，不但可以提高学生学习的兴趣，同时也能加深对所学句构和词汇的印象，因此大大地提高了学习效果。

　　本书共编选了三十个中外幽默小故事，文字由浅而深。每个故事都是独立的教学单元。从所附图表中，教师可以任选用一个与其教学语法有关之单元，以达到特定的教学目的。当然，教师也完全可以按原有的先后次序来练习。

　　每个单元以一个幽默小故事为主题，而设计出五种不同的练习。通过"听听"的图片及教师的讲解，学生对该故事先有一个大概的了解。读过了"念念"的汉字部份，学生更进一步地掌握了故事的内容。"说说"让学生看图练习互问互答及重述的技巧。"想想"中的练习更进一步试测学生对该故事的充分理解。尤其是其中"字谜"的设计，特别利用人的好奇心理，学生为了猜出一个字或词，不得不对所提供的中文释义，再三推敲，不断思索。这个推敲思索的过程不但使学生练习了拼音和牢记了生词；并且更培养学生用中文直接思考的能力。"写写"部分是引导式的初步作文练习。

　　为了达到用中文学中文的最佳学习效果，每个单元不提供生词注释。仅在书后加了一个生词表，以供学生必要时参考之用。生词表中词汇挑选范围甚广，以便用不同教科书的学生都可以使用。表中未选注的生词，学生也可以用拼音词典查出。

INTRODUCTION

LE CHINOIS PAR L'HUMOUR est un recueil de trente textes humoristiques destinés aux étudiants de niveaux élémentaire et intermédiaire. Il peut servir de complément à n'importe quelle méthode d'apprentissage du chinois.

Grâce aux illustrations attrayantes, les étudiants peuvent avoir une meilleure compréhension de l'histoire qui leur est proposée et mémoriser les expressions qu'ils entendent. Cette méthode d'apprentissage d'une langue seconde a fait ses preuves depuis longtemps.

Les trente unités ne sont pas réparties selon un ordre particulier; le professeur pourra, en se référant au tableau ci-joint, choisir l'unité qui convient à son cours, que ce soit pour la grammaire ou pour le vocabulaire. Par exemple, il choisira l'unité 24 pour la construction 'shi...de'.

Chaque unité est divisée en cinq sections. A l'aide de la Section I 'TINGTING' (ECOUTER), les étudiants comprennent globalement l'histoire que le professeur leur raconte en mimant; grâce à la Section II 'NIANNIAN' (LIRE), ils ont une vue plus précise de l'histoire, clarifiant ainsi des détails qui leur avaient échappé à l'écoute; à la Section III 'SHUOSHUO' (PARLER), les étudiants sont amenés à dialoguer deux par deux en utilisant le vocabulaire qui leur est proposé, puis à raconter à nouveau l'histoire; les exercices de la Section IV 'XIANGXIANG' (PENSER) obligent les étudiants à penser en chinois : la résolution de mots croisés est un excellent exercice d'apprentissage; et la Section V 'XIEXIE' (ECRIRE) vise à développer leur aptitude à écrire.

Cet ouvrage a comme objectif ultime d'amener les étudiants à apprendre le chinois sans se référer à leur langue maternelle. Toutefois, un vocabulaire est fourni à la fin (avec référence à l'unité et équivalences en français et en anglais) comme aide-mémoire. Un effort particulier a été fait pour offrir aux étudiants le maximum de vocabualire usuel qu'ils peuvent trouver couramment dans leurs manuels de cours. Les textes de la Section II de chaque unité ont été écrits en caractères romains de manière à faciliter une éventuelle recherche dans un dictionnaire en Pinyin.

INTRODUCTION

LAUGHING IN CHINESE is designed as a supplemental text for learners of Chinese at the high beginning and low intermediate levels. It may be used in conjunction with any textbook to strengthen students' listening, speaking, reading and writing skills of Chinese.

The use of humorous stories illustrated with lively pictures as second language teaching materials has been proven to be an effective way of teaching. A humorous story, being universal in its appeal, enables students to assimilate the language more quickly than would the use of other materials.

Thirty stories are presented in increasing degree of complexity. Each story, with five exercises, forms a complete teaching unit and can be studied in any order. By checking the STRUCTURAL CHART, the teacher may choose any unit in order to achieve a certain instructional goal. For instance, Unit 24 may be chosen for the pratice of the 'shi ... de' construction.

With the help of the illustration in Exercice I 'TINGTING' (LET'S LISTEN), and the teacher's vivid narration, students are expected to grasp the general idea of the story. The Chinese text in Exercice II 'NIANNIAN' (LET'S READ) will further clarify the details which might have been missed by students when they first listened. Exercise III 'SHUOSHUO' (LET'S TALK) lets each two students challenge each other by exchanging questions and answers. They can then practice their narrative skills (oral composition) at the end. The purpose of Exercice IV 'XIANGXIANG' (LET'S THINK) is to develop in students the habit of thinking in Chinese. The process of guessing and groping for an answer in order to solve a crossword puzzle is, in fact, a very effective learning experience. Exercice V 'XIEXIE' (LET'S WRITE) provides a blueprint (pictures and key words) for the first steps of writing composition.

Since learning Chinese **in Chinese** is the ultimate goal of this book, students are encouraged not to use their native language in class and the vocabulary list in both French and English is provided only at the end of the book to be used as a last resource. Efforts have been made to include as many words as possible to suit the needs of students of different 'textbook backgrounds'. In any event, students can always refer to a Pinyin dictionary for words not selected.

Comments and suggestions for future improvements will be greatly appreciated.

Peggy Wang
Department of East Asian Languages &
Literatures
McGill University
3434 MacTavish Street
Montreal, Quebec, Canada

1986

課 堂 技 巧

下面所提供的教學法，僅供參考。教師必須按實際需要加以活用，才能達到最佳的教學效果。

（一）聽 聽

教具：特制"説笑漢語"大型 (11"X17") 圖片；
錄音機及該課磁帶。

第一步：教師手執圖片，逐張講解，介紹笑話內容。講解時完全不用學生母語。僅用圖片、表情及動作來幫助學生瞭解。

第二步：教師手執圖片，就笑話內容對全班提出直接而簡單的問題，只要求學生回答"對"或"不對"。此時，大部分學生對笑話應已有粗略的瞭解。

第三步：學生看拼音，聽磁帶，聽後會對笑話中的詞句有更深的瞭解。

（二）念 念

教具：句卡 - 將笑話分寫在五或六張小卡片上。按學生實際人數準備多套，以每人能分到一卡為原則。

第一步：學生看書，教師以正常速度將故事朗讀一遍。讀時，應加強出現在故事中的特殊句構及生詞。

第二步：學生個別默讀故事，教師在課堂前後走動，及時個別解答學生疑難。

第三步：教師領讀一遍，對較難句構，提供例句，以加深印象。

第四步：將學生分成數組。每組一套句卡，分給每人一張，進行分組練習。（注意分卡時，不能按笑話語句先後次序分）。

練習時，每人輪流讀出自己分到卡片上所寫的句子，
然後互相討論所讀句子在笑話中應出現的次序。最後，
每人一句，將笑話說出。因為學生不准互相出示所分
卡片，所以一定要發音標準，別人才能聽懂。此練習
達到學生互相糾正以及交際教學的要求。

第五步：教師指定一組學生按第四步的次序將笑話向全班說出。說時，
不能看卡或書。必要時，教師可出示大圖片，給以協助。

（三）說　說
教具：錄音機及該課磁帶"說說"部分；大型圖片。

第一步：學生看書，聽磁帶"說說"部分。

第二步：學生兩人一組，A問B答，B問A答。教師在課堂走動，
從旁協助，並改正發音及語調。

第三步：重複第二步。但此時，答者不能看漢字，把回答用紙蓋住。
只能看畫回答。

第四步：教師出示大圖片，抽任何兩人按該圖片一問一答。也可將
全班分為兩組，一組問一組答。學生此時將會提出一
些有趣的問題，令另外一組回答。

（四）想　想　　教具：生詞卡

第一步：將生詞卡分給學生，學生解釋所持卡片之詞義，讓其他
學生猜出該詞。其他學生也可向該生提出"是不是"型
問題，以猜出該詞。
注意：如果一班學生超過十五人，則應分兩組同時進行，
以免浪費課堂時間。

第二步：學生個別作練習，教師從旁改正。如時間不夠，可
改為課外作業。

（五）寫　寫（適宜課外作業）

第一步：把較難寫的漢字筆順，寫在黑板上。

第二步：教師示範，如何同一笑話可用不同方式述出。
並鼓勵學生延伸笑話內容。

句 構 表

	1	2	3	4	5	6	7	8	9	10	11	12	13	14	15	16	17	18	19	20	21	22	23	24	25	26	27	28	29	30
了 (perfectif/completed)	•	•	•	•	•	•		•	•		•	•		•	•		•	•	•	•		•	•	•	•	•		•		•
了 (change)		•			•		•	•	•	•	•	•	•	•	•		•	•	•							•	•	•		
V．了　complément 了		•							•	•		•																•	•	
是…的										•						•								•						•
才		•						•							•															•
还没(有)…(呢)								•				•												•						•
V．过,；从来没 V．过																				•										
(正)在V．；正要				•	•												•	•										•		
V．着	•		•		•	•		•		•				•	•		•	•	•			•	•	•		•		•		
V．(aboutissement/result)	•	•			•	•								•	•	•		•							•			•		
V．来,；V．去	•	•					•		•					•			•			•									•	
在；坐 (préposition)				•				•	•			•			•									•	•					
给；对；为 (préposition)					•			•	•	•	•			•						•	•	•		•	•					
从；到；往；向(preposition)								•		•			•		•										•					
跟；和 (préposition)				•	•	•	•										•				•	•	•						•	
要是…就…；如果…就…		•																		•										
一…就…																				•	•									
只要…就…						•															•									
(虽然)…但是…																	•								•					
不但…并且…																				•					•		•	•		
一边儿…一边儿…					•		•	•						•								•								
…比·(更)…				•		•																		•	•					
跟…一样…					•		•															•							•	
连…也 (or 都)…							•	•				•	•							•										
就是…也…					•																									
…的时候							•										•	•	•					•						
因为…所以…																						•	•							
…还是…?													•																	
什么(谁，哪儿)都…					•								•		•													•		
把	•	•					•		•						•					•									•	
被；让			•																			•							•	
proposition/clause 的(N．)		•	•				•			•		•		•		•				•	•			•			•		•	
谁…谁…																								•						
有时侯…有时侯…																													•	
既不…也不…																													•	
V．得complement					•	•				•						•								•					•	
…，就 (then)…	•	•			•	•	•			•	•			•					•	•										
Adv．地 V．…				•					•		•	•	•			•				•	•	•								
…呢?			•					•		•															•	•	•			
…啊!	•		•	•	•	•						•	•						•		•									
…吧!												•						•	•		•									
越…越…														•																

听 听

（一） 不得了了　BÙDÉLIǍO LE

1

2

3

4

5

6

7

听 听

BÙDÉLIĂO LE

(1) Yǒu yì tiān, sān suì de Xiǎo Yǐng zhǐ zhe māma de dà dùzi wèn māma:

"Māma, nǐde dùzi zěnme zhème dà a!"

(2) Māma xiào zhe huídá Xiǎo Yǐng:

"Xiǎo Yǐng, yīnwèi nǐde bàba gěi le nǐ yí ge xiǎo dìdi."

(3) Xiǎo Yǐng bù xiāngxìn māma de huà, jiù pǎoqù wèn bàba:

(4)"Bàba, nǐ zhēn de gěi le māma yí ge xiǎo dìdi ma?"

(5) Bàba xiǎng le yì xiǎng shuō:

"Shìde, Xiǎo Yǐng, wǒ zhēn de gěi le nǐ māma yí ge xiǎo dìdi."

(6) Xiǎo Yǐng tīngjian le bàba de huà, zhāngdà le yǎnjīng shuō:

"Bàba, bùdéliǎo le! Māma bǎ xiǎo dìdi chī le!"

念 👁 念

（一）不得了了

(1)有一天，三歲的小英指着媽媽的大肚子問媽媽：
　　　"媽媽，媽媽，你的肚子怎麽這麽大啊？"
(2)媽媽笑着回答小英：
　　　"小英，因爲你的爸爸給了你一個小弟弟。"

(3)小英不相信媽媽的話，就跑去問爸爸：
(4)　　"爸爸，你真的給了媽媽一個小弟弟嗎？"
(5)爸爸想了一想説：
　　　"是的，小英，我真的給了你媽媽一個小弟弟。"

(6)小英聽見了爸爸的話，張大了眼睛説：
(7)　　"爸爸，不得了了！媽媽把小弟弟吃了！"

（一）不得了了

(1)有一天，三岁的小英指着妈妈的大肚子问妈妈：
　　　"妈妈，妈妈，你的肚子怎么这么大啊？"
(2)妈妈笑着回答小英：
　　　"小英，因为你的爸爸给了你一个小弟弟。"

(3)小英不相信妈妈的话，就跑去问爸爸：
(4)　　"爸爸，你真的给了妈妈一个小弟弟吗？"
(5)爸爸想了一想说：
　　　"是的，小英，我真的给了你妈妈一个小弟弟。"

(6)小英听见了爸爸的话，张大了眼睛说：
(7)　　"爸爸，不得了了！妈妈把小弟弟吃了！"

说 说

1) 小英問媽媽什麼？
1) 小英问妈妈什么？

1) 她問媽媽爲什麼肚子那麼大。
1) 她问妈妈为什么肚子那么大。

2) 媽媽怎麼回答小英？
2) 妈妈怎么回答小英？

2) 媽媽説爸爸給了小英一個小弟弟。
2) 妈妈说爸爸给了小英一个小弟弟。

3) 小英爲什麼跑去問爸爸？
3) 小英为什么跑去问爸爸？

4) 小英問爸爸什麼？
4) 小英问爸爸什么？

3) 因爲她不相信媽媽的回答。
3) 因为她不相信妈妈的回答。

4) 她問爸爸是不是真的給了媽媽一個小弟弟。
4) 她问爸爸是不是真的给了妈妈一个小弟弟。

5) 爸爸的回答跟媽媽的一樣嗎？
5) 爸爸的回答跟妈妈的一样吗？

5) 對了。他們的回答一樣。
5) 对了。他们的回答一样。

6) 小英爲什麼張大了眼睛？
6) 小英为什么张大了眼睛？

6) 因爲她想媽媽把小弟弟吃了。
6) 因为她想妈妈把小弟弟吃了。

7) 小英對爸爸説什麼？
7) 小英对爸爸说什么？

7) 她對爸爸説："不得了了！媽媽把小弟弟吃了！"
7) 她对爸爸说："不得了了！妈妈把小弟弟吃了！"

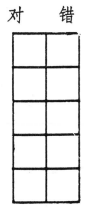

1. Vrai ou faux? / True or false?

对　错

1) 小英今年快要三歲了。
2) 爸爸的肚子也大了。
3) 爸爸説他給了媽媽
　　一個小弟弟。
4) 小英相信爸爸和媽媽的話。
5) 小英想爸爸知道媽媽吃了
　　小弟弟。

1) 小英今年快要三岁了。
2) 爸爸的肚子也大了。
3) 爸爸说他给了妈妈
　　一个小弟弟。
4) 小英相信爸爸和妈妈的话。
5) 小英想爸爸知道妈妈吃了
　　小弟弟。

MOT CROISÉ — Remplir le mot croisé horizontalement en PinYin. Écrire les mots entre parenthèses. (Si vous avez correctement rempli le mot croisé, les lettres dans la colonne en gras représentent un mot étudié dans la leçon.)

CROSS WORD PUZZLE — Fill in the puzzle in PinYin according to the clues given for each word. A·Magic word (between the two bold vertical lines) will form, if the puzzle has been filled out correctly.

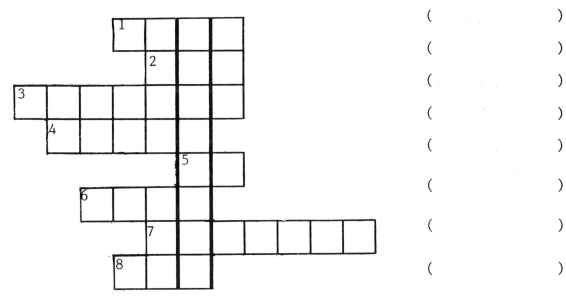

(　　　　)
(　　　　)
(　　　　)
(　　　　)
(　　　　)
(　　　　)
(　　　　)
(　　　　)

Mot mystère / Magic word　　_____

1) 媽媽的愛人是你的 _____ 。
2) 人活十二個月。
3) 小英 _____ 了眼睛
4) 為什麼
5) particule modale/modal particle
6) 小英的弟弟住在那兒。
7) 它可以看。
8) 很快地走；小孩子這樣走。

1) 妈妈的爱人是你的 _____ 。
2) 人活十二个月。
3) 小英 _____ 了眼睛
4) 为什么
5) particule modale/modal particle
6) 小英的弟弟住在那儿。
7) 它可以看。
8) 很快地走；小孩子这样走。

写写

小英
指着肚子
怎麼（么）
那麼（么）

_____

_____

因爲（为）
爸爸
給（给）
小弟弟

_____

_____

相信
就
跑去
爸爸

_____

_____

真的
給
小弟弟

_____

_____

想
真的
給
小弟弟

_____

_____

張（张）大
眼睛

_____

_____

不得了了
把
吃了

_____

_____

听 听

（二） 吃包子　CHĪ BĀOZI

 1

2

 3

4

 5

6

 7

8

9

听 听

CHĪ BĀOZI

(1) Xiǎo Wáng dùzi è le. (2) Tā kànjian lùbiān yǒu yí ge mài bāozi de, (3) jiù pǎoguoqu mǎi le wǔ ge bāozi.

(4) Xiǎo Wáng zuòxialai kāishǐ chī bāozi. (5) Yí ge, liǎng ge, sān ge, sì ge......Xiǎo Wáng chī le sì ge bāozi yǐhòu, dùzi hái è.

(6) Xiǎo Wáng xiǎng "Zěnme bàn? Zhǐ shèngxia le yí ge bāozi le." (7) Xiǎo Wáng bǎ zuì hòu de yí ge bāozi chī le yǐhòu, (8) dùzi cái bǎo le.

(9) Xiǎo Wáng yòu xiǎng: "Ài! Wǒ zhēn bèn! Yàoshi zǎo zhīdao dì wǔ ge bāozi kěyi chīdebǎo, wǒ gāngcái wèishénme yào chī qiánbiān de nà sì ge ne?"

念 👁 念

（二）吃包子

(1)小王肚子餓了。(2)他看見路邊有一個賣包子的，(3)就跑過去買了五個包子。

(4)小王坐下來開始吃包子。(5)一個、兩個、三個、四個…小王吃了四個包子以後，肚子還餓。

(6)小王想 "怎麼辦？只剩下了一個包子了。"(7)小王把最後的一個包子吃了以後，(8)肚子才飽了。

(9)小王又想 "唉！我真笨！要是早知道第五個包子可以吃得飽，我剛才爲什麼要吃前邊的那四個呢？"

（二）吃包子

(1)小王肚子饿了。(2)他看见路边有一个卖包子的，(3)就跑过去买了五个包子。

(4)小王坐下来开始吃包子。(5)一个、两个、三个、四个…小王吃了四个包子以后，肚子还饿。

(6)小王想 "怎么办？只剩下了一个包子了。"(7)小王把最后的一个包子吃了以后，(8)肚子才饱了。

(9)小王又想 "唉！我真笨！要是早知道第五个包子可以吃得饱，我刚才为什么要吃前边的那四个呢？"

说 说

1) 小王怎麼了？
1) 小王怎么了？

1) 小王肚子餓了。
1) 小王肚子饿了。

2) 小王看見什麼了？
2) 小王看见什么了？

2) 他看見一個賣包子的。
2) 他看见一个卖包子的。

3) 小王買了幾個包子？
3) 小王买了几个包子？

3) 他買了五個包子。
3) 他买了五个包子。

4) 小王怎麼吃包子？
4) 小王怎么吃包子？

4) 他坐下來吃包子。
4) 他坐下来吃包子。

5) 小王吃了四個包子以後，
　 肚子餓不餓了？
5) 小王吃了四个包子以后，
　 肚子饿不饿了？

5) 他肚子還餓。
5) 他肚子还饿。

6) 小王什麼時候肚子不餓了？
6) 小王什么时候肚子不饿了？

6) 他吃了五個包子以後，肚子
　 就不餓了。
6) 他吃了五个包子以后，肚子
　 就不饿了。

7) 小王想他肚子為什麼不餓了？
7) 小王想他肚子为什么不饿了？

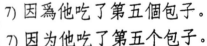

7) 因為他吃了第五個包子。
7) 因为他吃了第五个包子。

8) 小王為什麼想他很笨？
8) 小王为什么想他很笨？

8) 因為他不應該吃前邊的那
　 四個包子。
8) 因为他不应该吃前边的那
　 四个包子。

想 ? 想

1. Choisir la bonne réponse / Choose the correct one

1) 小王一共吃了幾個包子？
   (1) 一個(2)四個(3)五個
2) 小王想哪個包子可以吃得飽？
   (1) 第二個(2)第四個
   (4) 第五個
3) 小王想他應該買多少包子？
   (1) 一個(2)五個(3)兩個
   (4) 很多。
4) 你想小王笨嗎？(1)很笨
   (2) 不笨(3)不很笨。

1) 小王一共吃了几个包子？
   (1) 一个(2)四个(3)五个
2) 小王想哪个包子可以吃得饱？
   (1) 第二个(2)第四个
   (4) 第五个
3) 小王想他应该买多少包子？
   (1) 一个(2)五个(3)两个
   (4) 很多。
4) 你想小王笨吗？(1)很笨
   (2) 不笨(3)不很笨。

2. MOT CROISÉ / CROSS WORD PUZZLE

```
1 □□□ │ │ □□□□
    2 □□□ │ │ □□□□        (        )
    3 □□ │ │ □           (        )
4 □□□□□□□□ │              (        )
        5 □□ │ □□□        (        )
          6 │ □□□         (        )
    7 □□ │ │               (        )
      8 □ │ │ □□□          (        )
```

( )
( )
( )
( )
( )
( )
( )
( )

Mot mystère / Magic word _____

1)_____ 我餓了，我就吃。
2) 你 _____ 中國有多少人嗎？
3) 學了很多，還是不懂，不會。
4) 不知道應該怎麼作。
5) 小王 _____ 買了五個包子。
6) 小王 ___ 他很笨。
7) 你給別人錢，別人給你東西。
8) 中國人都喜歡吃這個。

1)_____ 我饿了，我就吃。
2) 你 _____ 中国有多少人吗？
3) 学了很多，还是不懂，不会。
4) 不知道应该怎么作。
5) 小王 _____ 买了五个包子。
6) 小王 ___ 他很笨。
7) 你给别人钱，别人给你东西。
8) 中国人都喜欢吃这个。

写 写

小王
肚子
餓（饿）

看見（见）
路邊（边）
賣（卖）包子的

就
跑過（过）去
買（买）
五個（个）

坐下來（来）
開（开）始
吃

四個（个）
以後（后）
還餓（还饿）
只剩下

把
最後（后）
吃

才
飽（饱）了

真笨
要是早知道
吃得飽（饱）
為什麼（为什么）

听 听

（三） 牛吃草　NIÚ CHĪ CǍO

1

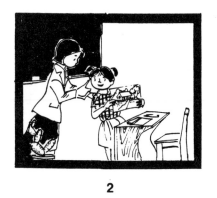

2

3

4

5

6

7

8

9

10

11

听 听

NIÚ CHĪ CĂO

(1) Lǎoshī jiāo xiǎoxuéshēng huà huàr. (2) Xiǎo Yīng huà le yí ge fángzi. (3) Xiǎo Huá huà le yì kē shù. (4) Xiǎo Hóng huà le yì zhī māo. (5) Xiǎo Míng gěi le lǎoshī yì zhāng bái zhǐ.

Lǎoshī zhǐ zhe bái zhǐ wèn Xiǎo Míng:

(6) "Xiǎo Míng, nǐ wèishénme méiyǒu huà huàr?

Nǐ zěnme gěi le wǒ yì zhāng bái zhǐ?"

(7) "Lǎoshī, wǒ huàle. Wǒ huà de shì niú chī cǎo a!"

(8) "Niú chī cǎo! Nǐ huà de cǎo zài nǎr? Xiǎo Míng!" Lǎoshī wèn.

(9) "Cǎo dōu ràng niú chīwán le!" Xiǎo Míng huídá.

(10) "Nàme, niú zài nǎr ne?" Lǎoshī yòu wèn.

(11) "Niú qù bié de dìfang zhǎo cǎo qù le a!" Xiǎo Míng hěn yǒu lǐ   de huídá le lǎoshī.

念 👁 念

（三）牛吃草

(1)老師教小學生畫畫兒。(2)小英畫了一個房子。(3)小華畫了一棵樹。(4)小紅畫了一隻貓。(5)小明給了老師一張白紙。

(6)老師指着白紙問小明：
　　"小明，你爲什麼沒有畫畫兒？你怎麼給了我一張白紙呢？"
　(7)"老師，我畫了。我畫的是牛吃草啊！"小明指着白紙回答老師。

(8)"牛吃草！你畫的草在哪兒？小明！"老師問。
(9)"草都讓牛吃完了！"小明回答。
(10)"那麼，牛在哪兒呢？"老師又問。
(11)"牛去別的地方找草去了啊！"小明很有理地回答了老師。

（三）牛吃草

(1)老师教小学生画画儿。(2)小英画了一个房子。(3)小华画了一棵树。(4)小红画了一只猫。(5)小明给了老师一张白纸。

(6)老师指着白纸问小明：
　　"小明，你为什么没有画画儿？你怎么给了我一张白纸呢？"
　(7)"老师，我画了。我画的是牛吃草啊！"小明指着白纸回答老师。

(8)"牛吃草！你画的草在哪儿？小明！"老师问。
(9)"草都让牛吃完了！"小明回答。
(10)"那么，牛在哪儿呢？"老师又问。
(11)"牛去别的地方找草去了啊！"小明很有理地回答了老师。

说 说

1) 老師教誰畫畫兒？
1) 老师教谁画画儿？

1) 老師教小學生畫畫兒。
1) 老师教小学生画画儿。

2) 小英畫了什麼？
2) 小英画了什么？

2) 小英畫了一個房子。
2) 小英画了一个房子。

3) 小華畫了什麼？
3) 小华画了什么？

3) 小華畫了一棵樹。
3) 小华画了一棵树。

4) 小紅畫了什麼？
4) 小红画了什么？

4) 小紅畫了一隻貓。
4) 小红画了一只猫。

5) 小明給了老師什麼？
5) 小明给了老师什么？

5) 小明給了老師一張白紙。
5) 小明给了老师一张白纸。

6) 小明告訴老師他畫的是什麼？
6) 小明告诉老师他画的是什么？

6) 小明告訴老師他畫的是
牛吃草。
6) 小明告诉老师他画的是
牛吃草。

7) 小明說畫上的草在哪兒？
7) 小明说画上的草在哪儿？

7) 草都讓牛吃完了。
7) 草都让牛吃完了。

8) 小明說畫上的牛在哪兒？
8) 小明说画上的牛在哪儿？

other places

8) 牛去別的地方找草去了。

other

想 ? 想

1. Choisir la bonne réponse / Choose the correct one

1) 小明	教學生畫畫兒。	1) 小明	教学生画画儿。
2) 小紅	畫了牛吃草。	2) 小红	画了牛吃草。
3) 老師	畫了一棵樹。	3) 老师	画了一棵树。
4) 小華	畫了一隻貓。	4) 小华	画了一只猫。
5) 小英	畫了一個房子。	5) 小英	画了一个房子。
6) 沒有人	沒有畫畫兒。	6) 没有人	没有画画儿。

2. MOT CROISÉ / CROSS WORD PUZZLE

( )

( )

( )

( )

( )

( )

_____

Mot mystère / Magic Word

1)particule modale/modal particle
2) 你住在那個裡邊。
3) 夏天有很多。
4) 對人説。
5) 學生每年都要買很多
這個；山上有很多這個。
6) 他喜歡吃草。

1)particule modale/modal particle
2) 你住在那个里边。
3) 夏天有很多。
4) 对人说。
5) 学生每年都要买很多
这个；山上有很多这个。
6) 他喜欢吃草。

写 写

老師 (师)
教
小學 (学) 生 _____
畫畫兒 (画画儿) _____

小英
畫 (画) _____
房子
_____

小華 (华)
畫 (画) _____
一棵樹 (树)
_____

小紅 (红)
畫 (画)
一隻 (只) _____
貓 (猫)
_____

小明
給 (给) _____
一張 (张)
白紙 (纸) _____

問 (问)
怎麼 (么) _____
白紙 (纸)
_____

写写

畫(画)
牛 吃草

_____

_____

畫(画)的草
在
哪 儿

_____

_____

讓(让)
牛
吃完了

_____

_____

牛
在
哪兒(儿)

_____

_____

別 的 地 方
找
草
有 理

_____

_____

听 👂 听

（四）　晚上去太陽　　WǍNSHANG QÙ TÀIYÁNG
　　　　晚上去太阳

1

2

3

4

5

6

7

8

听 👂 听

WǍNSHANG QÙ TÀIYÁNG

(1) yì tiān wǎnshang, gēge hé dìdi zài kètīng li kàn diànshì.

(2) Diànshì shang zhèng zài yǎn yǔzhòu fēixíngyuán shàng yuèliang de xīnwén.

(3) Gēge shuō:

"Wǒ zhǎngdà le yǐhòu, yě yào qù yuèliang, nàr yídìng hěn hǎowár!"

(4) Dìdi shuō:

"Wǒ zhǎngdà le yǐhòu, yào qù tàiyáng. (5) Tàiyáng bǐ yuèliang dà, tàiyáng yídìng bǐ yuèliang gèng hǎowár!"

(6) Gēge shuō:

"Bié qù tàiyáng!   (7)nàr huì shāosǐ nǐ de!"

(8) Dìdi shuō:

"Méi guānxi!   Wǒ kěyi wǎnshang qù a!"

念 👁 念

（四）晚上去太陽

(1)一天晚上，哥哥和弟弟在客廳裡看電視。(2)電視上正在演宇宙飛行員上月亮的新聞。

(3)哥哥說："我長大了以後，也要去月亮，那兒一定很好玩兒。"

(4)弟弟說："我長大了以後，要去太陽。
(5)太陽比月亮大，太陽一定比月亮更好玩兒！"

(6)哥哥說："別去太陽！那兒會燒死你的！"
(7)弟弟說：" 沒關係！我可以晚上去啊！"

（四）晚上去太阳

(1)一天晚上，哥哥和弟弟在客厅里看电视。(2)电视上正在演宇宙飞行员上月亮的新闻。

(3)哥哥说："我长大了以后，也要去月亮，那儿一定很好玩儿。"

(4)弟弟说："我长大了以后，要去太阳。
(5) 太阳比月亮大，太阳一定比月亮更好玩儿！"

(6)哥哥说："别去太阳！那儿会烧死你的！"
(7)弟弟说：" 没关系！我可以晚上去啊！"

说 😮 说

1) 哥哥和弟弟在哪兒作什麼？
1) 哥哥和弟弟在哪儿作什么？

1) 他們在客廳裡看電視。
1) 他们在客厅里看电视。

2) 電視上正在演什麼？
2) 电视上正在演什么？

2) 電視上正在演宇宙飛行員
   上月亮的新聞。
2) 电视上正在演宇宙飞行员
   上月亮的新闻。

3) 哥哥長大了以後，想去哪兒？
3) 哥哥长大了以后，想去哪儿？

3) 他想去月亮。

4) 弟弟長大了以後，想去哪兒？
4) 弟弟长大了以后，想去哪儿？

4) 他想去太陽。
4) 他想去太阳。

5) 弟弟為什麼想去太陽，不去
   月亮？
5) 弟弟为什么想去太阳，不去
   月亮？

5) 因為太陽比月亮大，一定比
   月亮好玩兒。
5) 因为太阳比月亮大，一定比
   月亮好玩儿。

6) 哥哥要弟弟去太陽嗎？
6) 哥哥要弟弟去太阳吗？

6) 他不要弟弟去太陽。
6) 他不要弟弟去太阳。

7) 哥哥為什麼不要弟弟去太陽？
7) 哥哥为什么不要弟弟去太阳？

7) 因為太陽會燒死人。
7) 因为太阳会烧死人。

8) 弟弟為什麼說晚上去太陽？
8) 弟弟为什么说晚上去太阳？

8) 因為他想晚上太陽就不會
   燒死人了。
8) 因为他想晚上太阳就不会
   烧死人了。

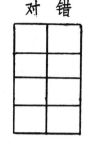
想 ? 想

1. Vrai ou faux? / True or false?

1) 哥哥和弟弟都喜歡飛。
2) 宇宙飛行員還沒去過太陽。
3) 哥哥不要弟弟去太陽，
   因爲太陽太大，不好玩兒。
4) 弟弟想太陽晚上不熱，
   不會燒死人。

对	错

1) 哥哥和弟弟都喜欢飞。
2) 宇宙飞行员还没去过太阳。
3) 哥哥不要弟弟去太阳，
   因为太阳太大，不好玩儿。
4) 弟弟想太阳晚上不热，
   不会烧死人。

2. MOT CROISÉ / CROSS WORD PUZZLE

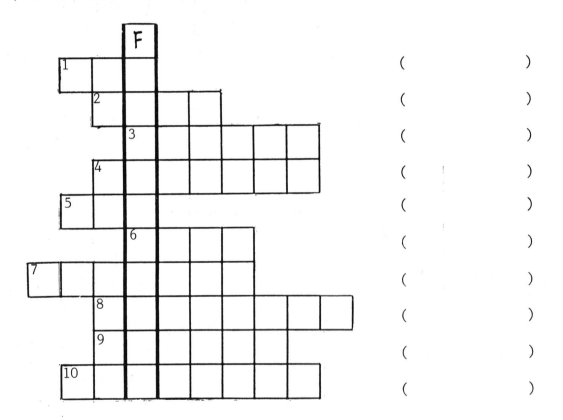

Mot mystère / Magic Word _____

1) 不要
2) 媽媽的兒子，比我小。
3) 看電視可以知道每天的 _____ 。
4) 📼
5) 沒有眼睛，就不可以 ___ 。
6) 媽媽的兒子，比我大。
7) ☀   8) 🦅
9) 有意思   10)天黑以後

1) 不要
2) 妈妈的儿子，比我小。
3) 看电视可以知道每天的 _____ 。
4) 📼
5) 没有眼睛，就不可以 ___ 。
6) 妈妈的儿子，比我大。
7) ☀   8) 🦅
9) 有意思   10)天黑以后

写 写

晚上
哥哥弟弟
客廳(厅)
電視(电视)

_____

_____

宇宙飛(飞)行員
上月亮
新聞(闻)

_____

_____

哥哥
長(长)大
去月亮
好玩

_____

_____

弟弟
長(长)大
去太陽(阳)

_____

_____

太陽(阳)
月亮
比…大
更好玩

_____

_____

哥哥
別去

_____

_____

會(会)
燒(烧)死
的

_____

_____

弟弟
沒關係(关系)
可以
晚上

_____

_____

听 👂 听

（五） 一模一樣
一模一样　　YÌ MÚ YÍ YÀNG

1

2

3

4

5

6

7

8

听 听

YÌ MÚ YÍYÀNG

(1) Xiǎo Zhāng zhù zài yí ge xiǎo chéng li.   (2) Tā xiǎng chéng li de rén tā shuí dōu rènshi.

(3) Yǒu yì tiān, Xiǎo Zhāng zài děng gōnggòng qìchē.   (4) Tā kànjian le yí ge nǚrén dài zhe yí ge xiǎo háizi yě zài děng chē. (5) Xiǎo Zhāng xiào zhe wèn nà ge xiǎo háizi:

"Xiǎo dìdi, nǐ jīnnián jǐ suì le?"

"Liǎng suì bàn." Nà ge xiǎo háizi huídá.

(6) Xiǎo Zhāng yìbiār kàn zhe nà ge xiǎo háizi, yìbiār duì nà ge nǚrén shuō:

"Āiyā! Zhè ge háizi zhēn kě'ài a! Tā zhǎng de gēn nǐde
    àiren yìmúyíyàng!"

Nǚrén kàn le kàn Xiǎo Zhāng, shuō:

"(7) Tā bú shì wǒde háizi, (8) shì wǒ línjū de."

念 👁 念

（五）一模一樣

(1)小張住在一個小城裡。(2)他想城裡的人，他誰都認識。

(3)有一天，小張在等公共汽車。(4)他看見了一個女人帶著一個小孩子也在等車。(5)小張笑著問那個小孩子：
"小弟弟，你今年幾歲了？"
"兩歲半。"那個小孩子回答。

(6)小張一邊兒看著那個小孩子，一邊兒對那個女人說：
"哎呀！這個孩子真可愛啊！
他長得跟你的愛人一模一樣！"
女人看了看小張，說：
"(7)他不是我的孩子，(8)是我鄰居的。"

（五）一模一样

(1)小张住在一个小城里。(2)他想城里的人，他谁都认识。

(3)有一天，小张在等公共汽车。(4)他看见了一个女人带着一个小孩子也在等车。(5)小张笑着问那个小孩子：
"小弟弟，你今年几岁了？"
"两岁半。"那个小孩子回答。

(6)小张一边儿看着那个小孩子，一边儿对那个女人说：
"哎呀！这个孩子真可爱啊！
他长得跟你的爱人一模一样！"
女人看了看小张，说：
"(7)他不是我的孩子，(8)是我邻居的。"

说 说

1) 小張住在哪兒？
1) 小张住在哪儿？

1) 他住在一個小城裡。
1) 他住在一个小城里。

2) 小張認識很多人嗎？
2) 小张认识很多人吗？

2) 他想他誰都認識。
2) 他想他谁都认识。

3) 小張在等公共汽車的時候，
   看見誰了？
3) 小张在等公共汽车的时候，
   看见谁了？

3) 他在等公共汽車的時候，看見
   了一個女人帶着一個小孩。
3) 他在等公共汽车的时候，看见
   了一个女人带着一个小孩。

4) 小張問孩子什麼問題？
4) 小张问孩子什么问题？

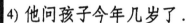

4) 他問孩子今年幾歲了．
4) 他问孩子今年几岁了．

5) 孩子怎麼回答？
5) 孩子怎么回答？

5) 孩子説他兩歲半。
5) 孩子说他两岁半。

6) 小張對女人説什麼？
6) 小张对女人说什么？

6) 他對女人説孩子很可愛，跟
   他的愛人長得一模一樣。
6) 他对女人说孩子很可爱，跟
   他的爱人长得一模一样。

7) 孩子是那個女人的不是？
7) 孩子是那个女人的不是？

7) 不是。

8) 孩子是誰的？
8) 孩子是谁的？

8) 是女人的鄰居的。
8) 是女人的邻居的。

想 ? 想

1. Vrai ou faux? / True or false?

对	错

1) 小張不認識孩子的爸爸。
2) 孩子的爸爸是女人的愛人。
3) 小張聽了女人的話，
   很不好意思。
4) 小城裡的人，小張不都
   認識。
5) 小張認識那個女人的鄰居。

1) 小张不认识孩子的爸爸。
2) 孩子的爸爸是女人的爱人。
3) 小张听了女人的话，
   很不好意思。
4) 小城里的人，小张不都
   认识。
5) 小张认识那个女人的邻居。

2. MOT CROISÉ / CROSS WORD PUZZLE

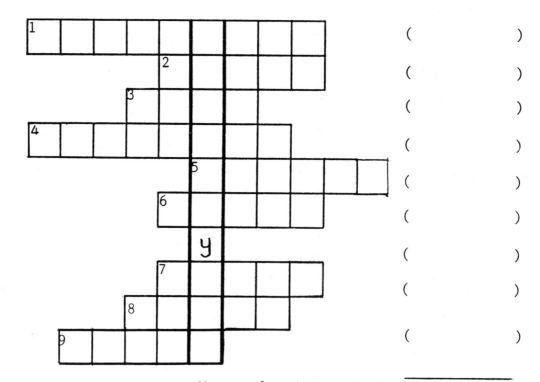

(   )

(   )

(   )

(   )

(   )

(   )

(   )

(   )

(   )

Mot mystère / Magic Word

_____

1) 你说错了，你很 _____ 。
2) 🚗
3) 爸爸的愛人是你的 ____ 。
4) 大家都可以用。
5) 十二個月
6) 你媽媽是你爸爸的 ____ 。
7) 女兒、兒子都是 _____ 。
8) 住在你家旁邊的人
9) 很多人住在那裡

1) 你说错了，你很_____ 。
2) 🚗
3) 爸爸的爱人是你的 _____ 。
4) 大家都可以用。
5) 十二个月
6) 你妈妈是你爸爸的 ____ 。
7) 女儿、儿子都是 _____ 。
8) 住在你家旁边的人
9) 很多人住在那里

写 写

小張(张)
住
小 城

想
誰都(谁 都)
認識(认 识)

在 等
公共汽車(车)

女人
帶(带)着
小孩子
等車(车)

幾歲(几 岁)
兩歲半
(两 岁)

真可愛 (爱)
長(长)得
跟…一模一樣
　　　　　(样)

女人的
不是

是
鄰居的
(邻)

听 耳 听

（六）　誰跟老虎比？
　　　谁跟老虎比？　　SHUÍ GĒN LǍOHǓ BǏ ?

1

2

3

4

5

6

7

8

听 👂 听

SHUÍ GĒN LǍOHǓ BǏ ?

(1) Liǎng ge lǚxíng de rén zài shùlín li zǒu zhe. (2) Hūrán, qiánmiàn lái le yì zhī lǎohǔ. *tiger*

(3) Dì yī ge rén mǎshàng zuòxialai tuōxia le tāde chángxuē, (4) huàn shang le tāde qiúxié. (5) Dì èr ge rén kànjian tā huàn xié, jiù xiào tā, shuō:

"Nǐ zhè shì gàn shénme? (6) Jiùshi huàn shang le qiúxié, nǐ yě pǎobuguò lǎohǔ a!"

(7) "Shuí gēn lǎohǔ bǐ? (8) Zhǐ yào pǎo de bǐ nǐ kuài, bú jiù xíng le?"

Dì yī ge rén mǎshàng huídá le tāde péngyou.

念 👁 念

（六）誰跟老虎比？

(1)兩個旅行的人在樹林裡走着。(2)忽然，前面來了一隻老虎。

(3)第一個人馬上坐下來脫下了他的長靴，換上了他的球鞋。
(5)第二個人看見他換鞋，就笑他，説：
　　"你這是幹什麼？
　(6) 就是換上了球鞋，你也跑不過老虎啊！"

　(7)"誰跟老虎比？
　(8) 只要跑得比你快，不就行了？"
第一個人馬上回答了他的朋友。

（六）谁跟老虎比 ？

(1)两个旅行的人在树林里走着。(2)忽然，前面来了一只老虎。

(3)第一个人马上坐下来脱下了他的长靴，换上了他的球鞋。
(5)第二个人看见他换鞋，就笑他，说：
　　"你这是干什么？
　(6) 就是换上了球鞋，你也跑不过老虎啊！"

　(7)"谁跟老虎比？
　(8) 只要跑得比你快，不就行了？"
第一个人马上回答了他的朋友。

说 说

1) 兩個旅行的人在哪兒走着？
1) 两个旅行的人在哪儿走着？

1) 他們在樹林裡走着。
1) 他们在树林里走着。

2) 忽然前面來了什麼？
2) 忽然前面来了什么？

2) 忽然前面來了一隻老虎。
2) 忽然前面来了一只老虎。

3) 第一個人坐下來作什麼？
3) 第一个人坐下来作什么？

3) 他坐下來脫下他的長靴。
3) 他坐下来脱下他的长靴。

4) 第一個人換上了什麼鞋？
4) 第一个人换上了什么鞋？

4) 他換上了球鞋。

5) 第二個人想換鞋很可笑嗎？
5) 第二个人想换鞋很可笑吗？

5) 對了，他想換鞋很可笑。
5) 对了，他想换鞋很可笑。

6) 第二個人想換鞋有用嗎？
6) 第二个人想换鞋有用吗？

6) 他想換鞋沒有用。

7) 第一個人想跟老虎比嗎？
7) 第一个人想跟老虎比吗？

7) 他不想跟老虎比。
7) 他不想跟老虎比。

8) 第一個人爲什麼換鞋？
8) 第一个人为什么换鞋？

8) 他想比第二個人跑得快，
   所以老虎可以吃第二個人。

8) 他想比第二个人跑得快，
   所以老虎可以吃第二个人。

想 ? 想

1. Vrai ou faux? / True or false?

1) 兩個旅行的人後面來了
一隻老虎。
2) 第一個人沒有球鞋。
3) 第一個人想他會比老虎
跑得快。
4) 第二個人想第一個人
沒有老虎跑得快。
5) 第一個人是第二個人的
真朋友。

对	错

1) 两个旅行的人后面来了
一只老虎。
2) 第一个人没有球鞋。
3) 第一个人想他会比老虎
跑得快。
4) 第二个人想第一个人
没有老虎跑得快。
5) 第一个人是第二个人的
真朋友。

2。 MOT CROISÉ / CROSS WORD PUZZLE

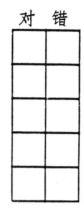

(   )
(   )
(   )
(   )
(   )
(   )
(   )
(   )

Mot mystère / Magic Word   _____

1)
2) 那兒有很多樹。
3) 很快地
4) 去別的地方玩兒。
5) 前邊兒
6)   7)

8)_____ 來了一隻老虎。

1)
2) 那儿有很多树。
3) 很快地
4) 去别的地方玩儿。
5) 前边儿
6)   7)

8)_____ 来了一只老虎。

写 写

旅行的人
樹 (树 林)

忽然
一隻 (只)
老虎

第一個 (个)
脫下
馬 (马) 上
長 (长) 靴

換上
球鞋

第二個 (个)
笑
幹 (干)
什麼 (什 么)

就是…也…
跑不過 (过)

誰 (谁)
跟…比

只要…
不就…?
比…快
行

听 听

（七）　中年人的頭髮
　　　　中年人的头发　　　ZHŌNGNIÁNRÉN DE TÓUFA

ZHŌNGNIÁN RÉN DE TÓUFA

(1) Cóngqián, yǒu yí ge wǔshí duō suì de zhōngnián rén, tāde tóufa yǐjīng huābái le. (2) Zhè ge zhōngnián rén yǒu liǎng ge qīzi. (3) yí ge qīzi niánji bǐ tā dà; (4) yí ge qīzi niánji bǐ tā xiǎo.

(5) Niánji xiǎo de qīzi xīwàng tā de zhàngfu gēn tā yíyàng niánqīng, (6) suǒyǐ zài zhōngnián rén shuìjiào de shíhou, jiù bǎ tāde bái tóufa bádiào yìxiē.

(7) Niánji dà de qīzi xīwàng tāde zhàngfu gēn tā yíyàng lǎo, (8) suǒyǐ zài zhōngnián rén shuìjiào de shíhou. jiù bǎ tā de hēi tóufa bádiào yìxiē.

(9) Zhèyàng, guò le jǐ nián yǐhòu, zhè ge zhōngnián rén de tóu shàng lián yì gēn tóufa yě méi yǒu le.

念 ◉ 念

（七）中年人的頭髮

(1)從前，有一個五十多歲的中年人，他的頭髮已經花白了。
(2) 這個中年人有兩個妻子。 (3) 一個年紀比他大；
(4) 一個年紀比他小。

(5)年紀小的妻子希望她的丈夫跟她一樣年輕，(6)所以在中年人睡覺的時候，就把他的白頭髮拔掉一些。

(7)年紀大的妻子希望她的丈夫跟她一樣老，(8)所以在中年人睡覺的時候，就把他的黑頭髮拔掉一些。

(9)這樣，過了幾年以後，這個中年人的頭上連一根頭髮也沒有了。

（七）中年人的头发

(1)从前，有一个五十多岁的中年人，他的头发已经花白了。
(2) 这个中年人有两个妻子。 (3) 一个年纪比他大；
(4) 一个年纪比他小。

(5)年纪小的妻子希望她的丈夫跟她一样年轻，(6)所以在中年人睡觉的时候，就把他的白头发拔掉一些。

(7)年纪大的妻子希望她的丈夫跟她一样老，(8)所以在中年人睡觉的时候，就把他的黑头发拔掉一些。

(9)这样，过了几年以后，这个中年人的头上连一根头发也没有了。

说 说

1) 中年人的頭髮是什麼樣子的？
1) 中年人的头发是什么样子的？

1) 他的頭髮花白。
1) 他的头发花白。

2) 他有幾個什麼樣的妻子？
2) 他有几个什么样的妻子？

2) 他有兩個妻子。一個年紀比他大；一個年紀比他小。
2) 他有两个妻子。一个年纪比他大；一个年纪比他小。

3) 年紀小的妻子希望什麼？
3) 年纪小的妻子希望什么？

3) 她希望中年人跟她一樣年輕。
3) 她希望中年人跟她一样年轻。

4) 中年人睡覺的時候，年紀小的妻子作什麼？
4) 中年人睡觉的时候，年纪小的妻子作什么？

4) 她把他的白頭髮拔掉一些。
4) 她把他的白头发拔掉一些。

5) 年紀大的妻子希望什麼？
5) 年纪大的妻子希望什么？

5) 她希望中年人跟他一樣老。
5) 她希望中年人跟他一样老。

6) 中年人睡覺的時候，年紀大的妻子作什麼？
6) 中年人睡觉的时候，年纪大的妻子作什么？

6) 她把他的黑頭髮拔掉一些。
6) 她把他的黑头发拔掉一些。

7) 過了幾年以後，中年人還有多少頭髮？
7) 过了几年以后，中年人还有多少头发？

7) 他連一跟頭髮也沒有了。
7) 他连一跟头发也没有了。

41

想 ? 想

1. Choisir la bonne réponse / Choose the correct one

1) 中年人的頭髮（头发）　　都是白的。
2) 年輕（轻）人的頭髮（头发）　　一半黑，一半白。
3) 老年人的頭髮（头发）　　中年人的頭髮（头发）。
4) 年輕的女人希望　　中年人有白頭髮（头发）。
5) 年紀大的的女人希望　　中年人有黑頭髮（头发）。
6) 兩個妻子都拔　　都是黑的。

2. MOT CROISÉ / CROSS WORD PUZZLE

Mot mystère / Magic Word _____

(1)一個女人的愛人
(2)每天晚上在床上休息
(3)頭上的毛
(4) spécificatif pour classifier for } (3)
(5)很想
(6)不老

(7)一半黑，一半白
(8)相同
(9)不年輕
(10) 丈夫；妻子
(11) 中國人的頭髮是
(12) 和

写写

中年人
頭髮（头发）
花白
妻子

_____

_____

妻子
年紀（纪）
比…大

_____

_____

妻子
年紀（纪）
比…小

_____

_____

希望
丈夫
跟…一樣…
　　（样）

_____

睡覺（觉）
…的時（时）候
拔掉
白頭髮（头发）

_____

_____

希望
丈夫
跟…一樣…
　　（样）
睡覺（觉）
…的時（时）候
拔掉
黑頭髮（头发）

_____

_____

_____

幾（几）年
一根
沒有
連…也…
（连）

_____

听 听

（八）　寫萬字
　　　写万字　　XIĚ WÀN ZÌ

1

2

3

4

5

6

7

8

9

听 听

XIĚ WÀN ZÌ

(1) Zhāng xiānsheng bú shì zì.   (2) Tā qǐng le yí wèi lǎoshī
lái jiāo tāde érzi xué xiě zì.

(3) Lǎoshī kāishǐ jiāo háizi xiě <yī,èr,sān> sān ge zì, (4)
háizi cái xuéhuì le zhè sān ge zì, jiù liánmáng pǎoqu gàosu tāde
bàba:
   "Bàba, xiě zì hěn róngyi, wǒ xuéhuì le. Wǒ bú yòng
      lǎoshī jiāo le."
Bàba tīngle háizi de huà, fēicháng gāoxìng, jiù jiào lǎoshī zǒu le.

(6) Dì èr tiān zǎoshang, zhè ge rén jiào érzi xiě yì fēng xìn
gěi Wàn xiānsheng, qǐng Wàn xiānsheng lái chīfàn.   (7) Háizi jiù qù
shūfáng kāishǐ xiě xìn.

(8) Jǐ ge xiǎoshí yǐhòu, háizi hái méi chūlai, Zhāng xiānsheng
jiù qù shūfáng kàn tāde érzi:
   "Xìn, zěnme hái méi xiěhǎo ne?" bàba wèn.
(9)"Bàba, nǐde péngyou wèishénme xìng 'Wàn' ? Wǒ cóng zǎo
      xiě dào xiànzài, cái xiě le yì qiān duō bǐ, lián tāde
      xìng yě hái méi xiěwán ne!"
Háizi yìbiār zhǐ zhe yì zhāng hěn cháng de xìnzhǐ, yìbiār bú nàifán
de huídá bàba.

念 👁 念

（八）寫萬字

(1)張先生不識字。(2)他請了一位老師來教他的兒子學寫字。(3)老師開始教孩子寫《一、二、三》三個字。(4)孩子才學會了這三個字，就連忙跑去告訴他的爸爸："爸爸，寫字很容易，我學會了。我不用老師教了"(5)爸爸聽了孩子的話，非常高興，就叫老師走了。

(6)第二天早上，這個人叫兒子寫一封信給萬先生。請萬先生來吃飯。(7)孩子就去書房開始寫信。

(8)幾個小時以後，孩子還沒出來。張先生就去書房看他的兒子。

"信，怎麼還沒寫好呢？"爸爸問。

(9)"爸爸！你的朋友為什麼姓'萬'？我從早寫到現在，才寫了一千多筆，連他的姓也還沒寫完呢！"

孩子一邊兒指著一張很長的信紙，一邊兒不耐煩地回答爸爸。

（八）写万字

(1)张先生不识字。(2)他请了一位老师来教他的儿子学写字。(3)老师开始教孩子写《一、二、三》三个字。(4)孩子才学会了这三个字，就连忙跑去告诉他的爸爸："爸爸，写字很容易，我学会了。我不用老师教了"(5)爸爸听了孩子的话，非常高兴，就叫老师走了。

(6)第二天早上，这个人叫儿子写一封信给万先生。请万先生来吃饭。(7)孩子就去书房开始写信。

(8)几个小时以后，孩子还没出来。张先生就去书房看他的儿子。

"信，怎么还没写好呢？"爸爸问。

(9)"爸爸！你的朋友为什么姓'万'？我从早写到现在，才写了一千多笔，连他的姓也还没写完呢！"

孩子一边儿指着一张很长的信纸，一边儿不耐烦地回答爸爸。

说 说

1) 張先生認識漢字嗎？
1) 张先生认识汉字吗？

1) 他不識字。
1) 他不识字。

2) 張先生請老師教他的兒子
什麼？
2) 张先生请老师教他的儿子
什么？

2) 他請老師教他的兒子寫字。
2) 他请老师教他的儿子写字。

3) 老師一共教兒子寫了哪幾個
漢字？
3) 老师一共教儿子写了哪几个
汉字？

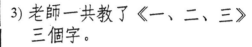

3) 老師一共教了《一、二、三》
三個字。
3) 老师一共教了《一、二、三》
三个字。

4) 兒子為什麼説不用老師教了？
4) 儿子为什么说不用老师教了？

4) 因為他想寫字很容易，他
學會了。
4) 因为他想写字很容易，他
学会了。

5) 第二天早上，張先生叫兒子
作什麼？
5) 第二天早上，张先生叫儿子
作什么？

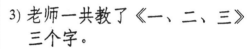

5) 他叫兒子寫一封信給萬先生，
請他來吃飯。
5) 他叫儿子写一封信给万先生，
请他来吃饭。

6) 幾個小時以後，張先生去書房
作什麼？
6) 几个小时以后，张先生去书房
作什么？

6) 他去書房看看兒子為什麼還
沒寫好信。
6) 他去书房看看儿子为什么还
没写好信。

7) 兒子在書房裡寫什麼字？
7) 儿子在书房里写什么字？

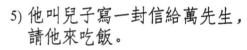

7) 他還在寫"萬"字。
7) 他还在写"万"字。

8) 兒子會寫"萬"字嗎？
8) 儿子会写"万"字吗？

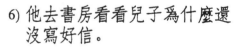

8) 他不會寫。
8) 他不会写。

想 ? 想

1. Choisir la bonne réponse / Choose the correct one

1) 張先生請老師教兒子什麼？
   (1) 畫畫兒 (2) 寫信 (3) 寫字
2) 張先生請萬先生作什麼？
   (2) 教兒子 (2) 吃飯 (3) 寫信
3) 老師為什麼走了？
   (1) 兒子不好好學 (2) 兒子
   學會了 (3) 他教得不好
4) 兒子想"萬"字有多少筆？
   (1) 三筆 (2) 一萬筆 (3) 十萬筆

1) 张先生请老师教儿子什么？
   (1) 画画儿 (2) 写信 (3) 写字
2) 张先生请万先生作什么？
   (2) 教儿子 (2) 吃饭 (3) 写信
3) 老师为什么走了？
   (1) 儿子不好好学 (2) 儿子
   学会了 (3) 他教得不好
4) 儿子想"万"字有多少笔？
   (1) 三笔 (2) 一万笔 (3) 十万笔

2。MOT CROISÉ / CROSS WORD PUZZLE

	1						
	2						
3							
4							
	5						
6							
	7						
8							
	9						

(   )
(   )
(   )
(   )
(   )
(   )
(   )
(   )
(   )

Mot mystère / Magic word _____

1) 每個人都有一個。
2)___ 老師教我寫字。
3) 不是以前，也不是以後。
4)1,000
5) 看書和學習的地方
6) 一天的開始
7) 很，很
8) 很 _____ 認識你。
9) 不難

1) 每个人都有一个。
2)___ 老师教我写字。
3) 不是以前，也不是以后。
4)1,000
5) 看书和学习的地方
6) 一天的开始
7) 很，很
8) 很 _____ 认识你。
9) 不难

写写

張(张)先生
不識(识)字

_____

_____

請(请)
老師(师)
兒(儿)子
寫（写）字

_____

_____

教
孩子
一、二、三

_____

告訴(诉)
容易
不用教
老師（师）走

_____

兒(儿)子
一封信
萬（万）先生
請吃飯(饭)

_____

幾個(几个)
爸爸
去書（书）房

_____

還（还）沒
寫（写）好
怎麼(么)

_____

爲什麼(为什么)
才
一千多筆(笔)
連…也…
（连）

_____

听 听

（九）　單行道
　　　　单行道　　DĀNXÍNGDÀO

1

2

3

4

5

6

7

8

听 听

DĀN XÍNG DÀO

(1) Yǒu yí ge wàiguórén zài Zhōngguó lǚxíng. Tā suīrán huì shuō yìdiǎr Zhōngwén, dànshi bú rènshi hànzì.

(2) Yǒu yì tiān, tā kāichē qù chéng dōngbiān, dànshi kāi jìn le yì tiáo xiàng xībiān de dānxíngdào. (3) Jiāotōngjǐng jiào tā tíng chē, wèn tā:

(4) "Xiānsheng, nǐ qù nǎr?"

   "Wǒ qù kàn bàngqiú sài."

(5) Zhè ge wàiguórén kàn le kàn biǎo, yòu shuō:

   "Āiyā! Zāogāo! Wǒ qù wǎn le. (6) Nǐ kàn!

   dàjiā dōu huílai le."

(7) Jiāotōngjǐng gěi wàiguórén yì zhāng zhǐ, shuō:

   "Xiānsheng, duìbuqǐ, Zhè shì nǐde piào."

(8) "Xièxie, wǒ yǐjīng mǎi le."

Wàiguórén yìbiār shuō, yìbiār bǎ bàngqiú sài de piào náchulai gěi jiāotōngjǐng kàn.

念 👁 念

（九）單行道

(1)有一個外國人在中國旅行，他雖然會説一點兒中文，但是不認識漢字。

(2)有一天，他開車去城東邊，但是開進了一條向西邊的單行道。(3)交通警叫他停車，問他：

(4)"先生，你去哪兒？"

"我去看棒球賽。"

(5)這個外國人看了看錶，又説：

"哎呀！糟糕！我去晚了。(6)你看！大家都回來了！"

交通警給外國人一張紙，説：

(7)"先生，對不起，這是你的票。"

(8)"謝謝，我已經買了。"

外國人一邊説一邊兒把棒球賽的票拿出來給交通警看。

（九）单行道

(1)有一个外国人在中国旅行，他虽然会说一点儿中文，但是不认识汉字。

(2)有一天，他开车去城东边，但是开进了一条向西边的单行道。(3)交通警叫他停车，问他：

(4)"先生，你去哪儿？"

"我去看棒球赛。"

(5)这个外国人看了看表，又说：

"哎呀！糟糕！我去晚了。(6)你看！大家都回来了！"

交通警给外国人一张纸，说：

(7)"先生，对不起，这是你的票。"

(8)"谢谢，我已经买了。"

说 说

1) 這個外國人的中文怎麼樣？
1) 这个外国人的中文怎么样？

1) 他會說一點中文，但是不
   認識漢字。

1) 他会说一点中文，但是不
   认识汉字。

2) 外國人開車去哪兒？
2) 外国人开车去哪儿？

2) 他去城東邊。
2) 他去城东边。

3) 交通警為什麼要外國人停車？
3) 交通警为什么要外国人停车？

3) 因為他開進了一條去西邊的
   單行道。

3) 因为他开进了一条去西边的
   单行道。

4) 外國人要去看什麼？
4) 外国人要去看什么？

4) 他要去看棒球賽。
4) 他要去看棒球赛。

5) 外國人對交通警說什麼？
5) 外国人对交通警说什么？

5) 他說："糟糕！我去晚了。"
5) 他说："糟糕！我去晚了。"

6) 外國人為什麼想他去晚了？
6) 外国人为什么想他去晚了？

6) 因為他看別人的車都回來了。
6) 因为他看别人的车都回来了。

7) 外國人為什麼謝謝交通警？
7) 外国人为什么谢谢交通警？

7) 因為他想交通警給他一張
   棒球賽的票。

7) 因为他想交通警给他一张
   棒球赛的票。

8) 外國人已經買了棒球賽的票
   了嗎？

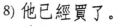

8) 他已經買了。
8) 他已经买了。

想 **?** 想

1. Vrai ou faux? / True or false?

对　错

1) 這個外國人能看中文。　　　　　　1) 这个外国人能看懂中文。

2) 單行道上的車只能走一個方向。　　2) 单行道上的车只能走一个方向。

3) 交通警給外國人棒球賽的票。　　　3) 交通警给外国人棒球赛的票。

4) 外國人不知道自己的錯。　　　　　4) 外国人不知道自己的错。

5) 外國人看了交通警給他　　　　　　5) 外国人看了交通警给他的
　　的票以後，一定會很高興。　　　　　票以后，一定会很高兴。

2. MOT CROISÉ / CROSS WORD PUZZLE

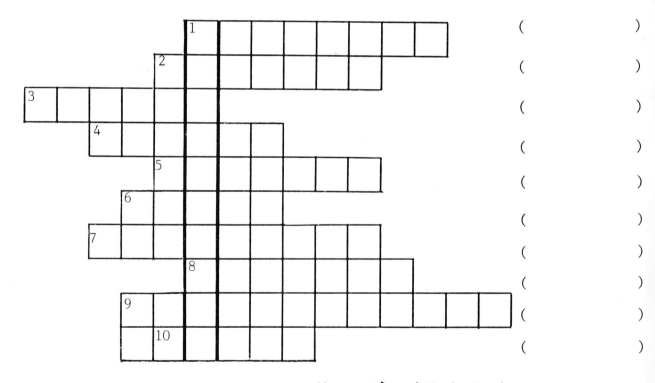

（　　　）
（　　　）
（　　　）
（　　　）
（　　　）
（　　　）
（　　　）
（　　　）
（　　　）
（　　　）

Mot mystère / Magic Word ——————

1) 中國在 _____ 。　　　　　　　　1) 中国在 _____ 。
2) 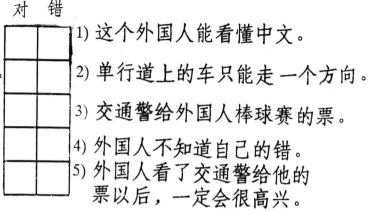　　　　　　　　　　　　　2)
3) 加拿大在 _____ 。　　　　　　　3) 加拿大在 _____ 。
4) 客氣話　　　　　　　　　　　　　4) 客气话
5) 車不走。　　　　　　　　　　　　5) 车不走。
6) 中國字　　　7) 不是中國人　　　　6) 中国字　　　　7) 不是中国人
8) 你作錯了，應該說這個話。　　　　8) 你作错了，应该说这个话。
9) 在街上管車的人　　　　　　　　　9) 在街上管车的人
10) _____ ！我又忘了。　　　　　　10) _____ ！我又忘了。

写 写

 外國(国)人
旅行
雖(虽)然…,
但是…

 開車(开车)
東邊(东边)
單(单)行道
向西邊(边)

 交通警
停車(车)

 去哪兒(儿)
棒球賽(赛)

 錶(表)
糟糕
晚了

 都
回來

 一張紙(张纸)
票
給(给)

 已經(经)
買(买)
棒球賽的票
拿出來

听 听

（十）　六百萬零五年
　　　　六百万零五年　　　LIÙ BǍIWÀN LÍNG WǓ NIÁN

1

2

3

4

5

6

7

8

听 听

LIÙ BǍIWÀN LÍNG WǓ NIÁN

(1) Yǒu yí ge cānguāntuán qù cānguān yí ge bówùguǎn. (2) Guǎn li de yí ge jiǎngjiěyuán gěi tāmen jièshào huàshí. (3) Jiǎngjiěyuán zhǐ zhe yí kuài huàshí duì dàjiā shuō:

"Qǐng dàjiā zhùyì! Zhè kuài huàshí hěn gǔlǎo, tā yǐjīng cúnzài le liù bǎiwàn líng wǔ nián le!"

(4) Cānguān de rén tīng le tāde jièshào, dōu hěn qíguài, jiù wèn zhè ge jiǎngjiěyuán:

(5) "Qǐng wèn, nǐ zěnme zhīdào de zhème zhǔnquè ne?"

(6) Jiǎngjiěyuán bùhuāngbùmáng de huídá:

"Qǐng dàjiā kàn, zhèr bú shì xiě zhe liù bǎiwàn nián ma?

(7) Wǒ zài zhè ge bówùguǎn yǐjīng gōngzuò le wǔ nián le.

(8) yígòng bú shì liù bǎiwàn líng wǔ nián le ma?"

念 👁 念

（十）六百萬零五年

(1)有一個參觀團去參觀一個博物館。(2)館裡的一個講解員給他們介紹化石。(3)講解員指着一塊化石對大家説:

"請大家注意！這塊化石很古老。
它已經存在了六百萬零五年了。"

(4)參觀的人聽了他的介紹，都很奇怪，就問這個講解員:
(5)"請問，你怎麼知道得這麼準確呢？"

(6)講解員不慌不忙地回答:
"請大家看，這兒不是寫着六百萬年嗎？(7)我在
這個博物館已經工作了五年了。 (8) 一共
不是六百萬零五年了嗎？"

（十）六百万零五年

(1)有一个参观团去参观一个博物馆。(2)馆里的一个讲解员给他们介绍化石。(3)讲解员指着一块化石对大家说:

"请大家注意！这块化石很古老。
它已经存在了六百万零五年了。"

(4)参观的人听了他的介绍，都很奇怪，就问这个讲解员:
(5)"请问，你怎么知道得这么准确呢？"

(6)讲解员不慌不忙地回答:
"请大家看，这儿不是写着六百万年吗？ (7) 我在
这个博物馆已经工作了五年了。 (8) 一共
不是六百万零五年了吗？"

说 说

1) 參觀團去參觀什麼？
1) 参观团去参观什么？

1) 他們去參觀博物館。
1) 他们去参观博物馆。

2) 講解員給他們介紹什麼？
2) 讲解员给他们介绍什么？

2) 他給他們介紹化石。
2) 他给他们介绍化石。

3) 講解員說那塊化石存在了多
   少年了？
3) 讲解员说那块化石存在了多
   少年了？

3) 那塊化石已經存在了六百萬
   零五年了。
3) 那块化石已经存在了六百万
   零五年了。

4) 參觀的人為什麼覺得奇怪？
4) 参观的人为什么觉得奇怪？

4) 因為講解員講得太準確了。
4) 因为讲解员讲得太准确了。

5) 參觀的人問講解員什麼？
5) 参观的人问讲解员什么？

5) 他們問他怎麼知道得那麼
   準確。
5) 他们问他怎么知道得那么
   准确。

6) 那塊化石上寫着多少年？
6) 那块化石上写着多少年？

6) 化石上寫着六百萬年。
6) 化石上写着六百万年。

7) 講解員在博物館工作了多少
   年了？
7) 讲解员在博物馆工作了多少
   年了？

7) 他在那兒工作了五年了。
7) 他在那儿工作了五年了。

8) 講解員為什麼說化石是六百萬
   零五年？
8) 讲解员为什么说化石是六百万
   零五年？

8) 因為他加上了五年工作的時間。
8) 因为他加上了五年工作的时间。

想 ? 想

1. Choisir la bonne réponse / Choose the correct one

1) 講解員是哪年來博物館工作的?
  (1) 五年以前(2)六百萬年以前
  (3) 三年以前
2) 十五年以後，講解員會説化石
  存在了多少年了?
  (1) 六百萬零十五年(2)六千萬零
  二十年(3)六百萬零二十年
3) 一年以前講解員説化石是多少年?
  (1) 六百零四年(2)六萬零四年
  (3) 六千零四年(4)六百萬零四年

1) 讲解员是哪年来博物馆工作的?
  (1) 五年以前(2)六百万年以前
  (3) 三年以前
2) 十五年以后，讲解员会说化石
  存在了多少年了?
  (1) 六百万零十五年(2)六千万零
  二十年(3)六百万零二十年
3) 一年以前讲解员说化石是多少年?
  (1) 六百零四年(2)六万零四年
  (3) 六千零四年(4)六百万零四年

2. MOT CROISE / CROSS WORD PUZZLE

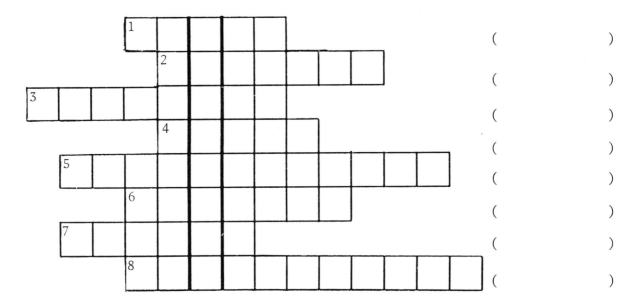

Mot mystère / Magic Word _ _ _

1)100
2) 作事
3)1,000,000
4) 幾百萬年以前的東西
5) 一個在博物館裡工作的人
6) 一點兒也不錯
7) 不懂為什麼
8) 很多人一起去參觀

1)100
2) 作事
3)1,000,000
4) 几百万年以前的东西
5) 一个在博物馆里工作的人
6) 一点儿也不错
7) 不懂为什么
8) 很多人一起去参观

写 写

參觀團
(参 观 团)
博物館(馆)

講 (讲)解員(员)
介紹(绍)
化石

指着化石
古老
六百萬(万)
零五年

參觀(参 观)
奇怪

怎麼(么)
知道
這麼(这么)
準確(准确)

寫 (写) 着
六百萬 (万) 年

工作
五年
…了…了

一共
六百萬(万)
零五年

听 👂 听

（十一）　以牙還牙
　　　　　以牙还牙　　YǏ YÁ HUÁN YÁ

1　　　　　　　　　　　　　2

3　　　　　　4　　　　　　5

6　　　　　7　　　　　8

听 听

YǏ YÁ HUÁN YÁ

(1) Yǒu yì tiān, zuòjiā de línjū lái zuòjiā de jiā, xiǎng gēn zuòjiā jiè yì běn xiǎoshuō shū kàn kan.

(2) Tā duì zuòjiā shuō:

"Jiè běn xiǎoshuō kàn kan, kěyi ma?"

Zuòjiā shuō:

(3) "Dāngrán kěyi! (4) Búguò, péngyou, wǒ yǒu yí ge tiáojiàn.

Wǒ de shū zhǐ kěyi zài wǒde jiā li kàn."

Línjū méiyǒu fǎzi, jiù zài zuòjiā de shūfáng li kàn le yì běn xiǎoshuō.

(5) Jǐ tiān yǐhòu, zuòjiā de jiǎncǎojī huài le. Tā qù línjū jiā, xiǎng gēn línjū jiè jiǎncǎojī. (6) Zuòjiā duì línjū shuō:

"Nǐde jiǎncǎojī, jiè gěi wǒ yòng yong, kěyi ma?"

(7) Línjū hěn kèqi de huídá:

"Dāngrán kěyi! (8) Búguò, wǒ yě yǒu yí ge tiáojiàn.

Wǒde jiǎncǎojī zhǐ kěyi zài wǒde yuànzi li yòng."

Zuòjiā tīng le zhè ge huà, méi fǎzi, zhǐhǎo huíjiā le.

念 👁 念

（十一）以牙還牙

(1)有一天，作家的鄰居來作家的家，想跟作家借一本小説書看看。(2)他對作家説：

"借本小説看看，可以嗎？"

(3)作家説："當然可以！(4)不過，朋友，我有一個條件。

我的書只可以在我的家裡看。"

鄰居沒有法子，就在作家的書房裡看了一本書。

(5)幾天以後，作家的剪草機壞了。他去鄰居家想跟鄰居借剪草機。(6)作家對鄰居説：

"你的剪草機，借給我用用，可以嗎？"

(7)鄰居很客氣地回答：

"當然可以！(8)不過，朋友，我也有一個條件。

我的剪草機只可以在我的院子裡用。"

作家聽了這個話，沒法子，只好回家了。

（十一）以牙还牙

(1)有一天，作家的邻居来作家的家，想跟作家借一本小说书看看。(2)他对作家说：

"借本小说看看，可以吗？"

(3)作家说："当然可以！(4)不过，朋友，我有一个条件。

我的书只可以在我的家里看。"

邻居没有法子，就在作家的书房里看了一本书。

(5)几天以后，作家的剪草机坏了。他去邻居家想跟邻居借剪草机。(6)作家对邻居说：

"你的剪草机，借给我用用，可以吗？"

(7)邻居很客气地回答：

"当然可以！(8)不过，朋友，我也有一个条件。

我的剪草机只可以在我的院子里用。"

作家听了这个话，没法子，只好回家了。

说 说

1) 鄰居去作家的家借什麼？
1) 邻居去作家的家借什么？

1) 他想跟作家借一本小说書。
1) 他想跟作家借一本小说书。

2) 作家的條件是什麼？
2) 作家的条件是什么？

2) 作家的條件是書要在他家裡看。
2) 作家的条件是书要在他家里看。

3) 作家跟鄰居借什麼？
3) 作家跟邻居借什么？

3) 他跟鄰居借剪草機。
3) 他跟邻居借剪草机。

4) 鄰居愿意借給作家剪草機嗎？
4) 邻居愿意借给作家剪草机吗？

4) 他说愿意借給作家。
4) 他说愿意借给作家。

5) 鄰居的條件是什麼？
5) 邻居的条件是什么？

5) 鄰居的條件是他的剪草機要在他的院子裡用。
5) 邻居的条件是他的剪草机要在他的院子里用。

6) 最後，作家借到剪草機了沒有？為什麼？
6) 最后，作家借到剪草机了没有？为什么？

6) 沒有借到。因為作家當然不願意給鄰居剪草。
6) 没有借到。因为作家当然不愿意给邻居剪草。

想 ? 想

1. Vrai ou faux? / True or false?

对　错

1) 鄰居和作家都很小氣。
2) 鄰居沒借到小說，
　　但是看到小說了。
3) 作家沒有剪草機。
4) 他們借東西給別人都有條件。

1) 邻居和作家都很小气。
2) 邻居没借到小说，
　　但是看到小说了。
3) 作家没有剪草机。
4) 他们借东西给别人
　　都有条件。

2. MOT CROISE / CROSS WORD PUZZLE

(　　　　　)
(　　　　　)
(　　　　　)
(　　　　　)
(　　　　　)
(　　　　　)
(　　　　　)
(　　　　　)
(　　　　　)

Mot mystère / Magic word　_____

1) 我想看書，就去圖書館 ___ 。
2) 住在你家旁邊的人
3) 當然可以，不過有一個 ___ 。
4) 房子旁邊的地
5) 夏天要在院子裡作這個
6) 一種書
7) 對你好也幫助你的人
8) 寫書的人
9) 要是我有，我就 _____ 你。

1) 我想看书，就去图书馆 ___ 。
2) 住在你家旁边的人
3) 当然可以，不过有一个 ___ 。
4) 房子旁边的地
5) 夏天要在院子里作这个
6) 一种书
7) 对你好也帮助你的人
8) 写书的人
9) 要是我有，我就 _____ 你。

写 写

鄰（邻）居
來(来)
作家
家

_____

_____

借
小説(说)

_____

_____

當（当）然
可以

_____

_____

不過(过)
條（条）件
家裡(里)

_____

_____

作家
去
鄰（邻）居家

_____

借
剪草機(机)

_____

當（当）然
可以

_____

不過(过)
條（条）件
院子裡(里)
用

_____

听 听

（十二） 變聰明了
变聪明了

BIÀN CŌNGMING LE

1

2

3

4

5

6

7

8

9

10

11

听 听

BIÀN CŌNGMING LE

(1) Xiǎo Zhāng chángcháng xiǎng zìjǐ hěn bèn, (2) Yǒu yì tiān, tā qù kàn dàifu. (3) Tā duì dàifu shuō:

"Dàifu, qǐng gěi wǒ yìdiǎr yào chī, jiào wǒ biàn cōngming !"

(4) Dàifu jiù gěi le Xiǎo Zhāng yì píng yàoshuǐ, jiào tā měi tiān hē yì kǒu.

(5) Guò le yí ge xīngqī yǐhòu, Xiǎo Zhāng yòu lái kàn dàifu. (6) Tā gēn dàifu shuō:

"Dàifu, wǒ yǐjǐng hē le yí ge xīngqī de yàoshuǐ le,

(7) zěnme wǒ hái méiyǒu biàn cōngming a?"

(8) Dàifu yòu gěi Xiǎo Zhāng yì píng yàoshuǐ.

(9) Yí ge xīngqī yǐhòu, Xiǎo Zhāng yòu huílai dì sān cì kàn dàifu, Xiǎo Zhāng duì dàifu shuō:

"Dàifu, wǒ hē le liǎng píng yàoshuǐ le, zěnme hái méiyǒu biàn cōngmíng ne? (10) Nǐ gěi wǒ de bú shì shénme yàoshuǐ, wǒ kàn jiù shì tángshuǐ ba!"

(11) Dàifu tīngjiàn Xiǎo Zhāng shuō zhè ge huà, gāoxìng de duì Xiǎo Zhāng shuō:

"Āiyā! nǐ biàn cōngmíng le!"

（十二）變聰明了

(1)小張常常想自己很笨(2)有一天，他去看大夫。(3)他對大夫説："大夫，請給我一點兒藥吃，叫我變聰明！"
(4)大夫就給了小張一瓶藥水，叫他每天喝一口。

(5) 過了一個星期以後，小張又來看大夫。(6)他跟大夫説："大夫，我已經喝了一個星期的藥水了，(7)怎麼我還沒有變聰明啊！"(8)大夫就又給了小張一瓶藥水。

(9) 一個星期以後，小張又回來第三次看大夫。小張對大夫説："大夫，我喝了兩瓶藥水了，怎麼還沒有變聰明呢？(10) 你給我的不是什麼藥水，我看就是糖水吧！"

(11) 大夫聽見小張説這個話，高興地對小張説："哎呀！你變聰明了！"

（十二）变聪明了

(1)小张常常想自己很笨(2)有一天，他去看大夫。 (3)他对大夫说："大夫，请给我一点儿药吃，叫我变聪明！"
(4)大夫就给了小张一瓶药水，叫他每天喝一口。

(5) 过了一个星期以后，小张又来看大夫。(6)他跟大夫说："大夫，我已经喝了一个星期的药水了，(7)怎么我还没有变聪明啊！"(8)大夫就又给了小张一瓶药水。

(9) 一个星期以后，小张又回来第三次看大夫。小张对大夫说："大夫，我喝了两瓶药水了，怎么还没有变聪明呢？(10) 你给我的不是什么药水，我看就是糖水吧！"

(11) 大夫听见小张说这个话，高兴地对小张说："哎呀！你变聪明了！"

說 说

1) 小張常想自己怎麽樣?
1) 小张常想自己怎么样?

1) 他常想自己很笨。

2) 小張爲什麽去看大夫?
2) 小张为什么去看大夫?

2) 他想叫大夫給他會變聰明的藥。
2) 他想叫大夫给他会变聪明的药。

3) 大夫給小張什麽藥? 叫小張
   怎麽吃?
3) 大夫给小张什么药? 叫小张
   怎么吃?

3) 他給小張一瓶藥水, 叫小張
   每天喝一口。
3) 他给小张一瓶药水, 叫小张
   每天喝一口。

4) 小張幾天以後, 又來看大夫?
4) 小张几天以后, 又来看大夫?

4) 他一個星期以後, 又來看
   大夫。
4) 他一个星期以后, 又来看
   大夫。

5) 大夫又給他什麽?
5) 大夫又给他什么?

5) 大夫又給了小張一瓶藥水。
5) 大夫又给了小张一瓶药水。

6) 小張爲什麽第三次回來看大夫?
6) 小张为什么第三次回来看大夫?

6) 因爲他喝了兩瓶藥水, 但是
   還沒變聰明。
6) 因为他喝了两瓶药水, 但是
   还没变聪明。

7) 小張想大夫給他的是什麽?
7) 小张想大夫给他的是什么?

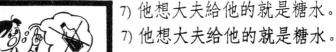

7) 他想大夫給他的就是糖水。
7) 他想大夫给他的就是糖水。

8) 大夫爲什麽說小張變聰明了?
8) 大夫为什么说小张变聪明了?

8) 因爲小張知道沒有可以變
   聰明的藥。
8) 因为小张知道没有可以变
   聪明的药。

想 ? 想

1. Vrai ou faux? / True or false?

对　错

1) 大夫一共給了小張三瓶糖水。
2) 小張看過三次大夫。

3) 小張一共喝了十四口糖水。
4) 小張最後知道沒有能叫人
　　變聰明的藥。

1) 大夫一共给了小张三瓶糖水。
2) 小张看过三次大夫。

3) 小张一共喝了十四口糖水。
4) 小张最后知道没有能叫人
　　变聪明的药。

2. MOT CROISÉ / CROSS WORD PUZZLE

(　　　　　)

(　　　　　)

(　　　　　)

(　　　　　)

(　　　　　)

(　　　　　)

(　　　　　)

Mot mystère / Magic Word　────────

1) 從現在開始
2) 跟以前不一樣
3) 不笨
4) 病人喝這個
5) 又來；再來
6) 給別人看病的人
7) 七天

1) 从现在开始
2) 跟以前不一样
3) 不笨
4) 病人喝这个
5) 又来；再来
6) 给别人看病的人
7) 七天

写写

小張(张)
想
自己
笨

_____

_____

看
大夫

_____

_____

吃藥(药)
變(变)
聰(聪)明

_____

_____

一瓶
藥(药)水
每天
一口

_____

_____

一個(个)
星期
又
看大夫

_____

_____

一個(个)星期
喝藥(药)水
…了…了

_____

_____

写 写

怎麼(么)
還 (还) 沒
變(变)
聰(聪) 明

_____

_____

大 夫
又 給(给)
一 瓶 藥水
　　(药)

_____

_____

一個 (个)星期
第三次
看大夫

_____

_____

兩 (兩) 瓶
還 (还) 沒
變 (变)
糖水

_____

_____

大夫
高興(兴)
變 (变)
聰(聪)明

_____

_____

听 听

（十三）　近视眼
　　　　　近视眼　　JÌNSHIYǍN

1

2

3

4

5

6

7

8

听 听

JÌNSHIYǍN

(1) Lǎo Zhāng shì yí ge jìnshiyǎn. (2) Yǒu yì tiān, tā zài gōngyuán li sànbù. (3) Tā kànjian yí ge rén zǒuguolai. Lǎo Zhāng duì zhè ge rén shuō:

"Hǎo jiǔ bú jiàn le! Nǐ hǎo ma?"

Nà ge rén kàn le kàn Lǎo Zhāng, méiyǒu shuōhuà. Lǎo Zhāng yòu shuō:

"(4) Āiyā! yǐqián nǐ hěn shòu, xiànzài pàng le!

(5) yǐqián nǐde tóufa hěn hēi, xiànzài zěnme dōu bái le?

(6) Yǐqián nǐ hěn gāo, xiànzài zěnme ǎi le?

Lǎo Wáng, nǐ shénme dōu biàn le. Wǒ zhēn bú rènshi nǐ le!"

(7) Nà ge rén shuō:

"Duìbuqǐ, wǒ bú xìng Wáng, wǒ xìng Lǐ."

(8) Lǎo Zhāng tīng le zhè ge huà yǐhòu, dàshēng de jiàoqilai:

"Tiān a! Nǐ zěnme lián xìng yě biàn le a!"

念 👁 念

（十三）近視眼

(1)老張是一個近視眼。(2)有一天，他在公園裡散步。
(3)他看見一個人走過來。老張對這個人說：
　　　"好久不見了！你好嗎？"

　　那個人看了看老張，沒有說話。老張又說：
　　　"(4)哎呀！以前你很瘦，現在胖了。
　　　(5) 以前你的頭髮很黑，現在怎麼都白了？
　　　(6) 以前你很高，現在怎麼矮了？老王，你什麼都
　　　變了。我真不認識你了！"

(7)那個人說："對不起，我不姓王，我姓李。"
(8)老張聽了這個話以後，大聲地叫起來：
　　　"天啊！你怎麼連姓也變了啊！"

（十三）近视眼

(1)老张是一个近视眼。(2)有一天，他在公园里散步。
(3)他看见一个人走过来。老张对这个人说：
　　　"好久不见了！你好吗？"

　　那个人看了看老张，没有说话。老张又说：
　　　"(4)哎呀！以前你很瘦，现在胖了。
　　　(5) 以前你的头发很黑，现在怎么都白了？
　　　(6) 以前你很高，现在怎么矮了？老王，你什么都
　　　变了。我真不认识你了！"

(7)那个人说："对不起，我不姓王，我姓李。"
(8)老张听了这个话以后，大声地叫起来：
　　　"天啊！你怎么连姓也变了啊！"

说 说

1) 老張的眼睛怎麼樣？
1) 老张的眼睛怎么样？

1) 他的眼睛不好，他是近視眼。
1) 他的眼睛不好，他是近视眼。

2) 老張在哪兒作什麼？
2) 老张在哪儿作什么？

2) 他在公園裡散步。
2) 他在公园里散步。

3) 有一個人走過來，老張對他說什麼？
3) 有一个人走过来，老张对他说什么？

3) 老張對那個人说：
"好久不見了，你好嗎？"
3) 老张对那个人说：
"好久不见了，你好吗？"

4) 老張想那個人以前是很瘦還是很胖？
4) 老张想那个人以前是很瘦还是很胖？

4) 老張想那個人以前很瘦，現在胖了。
4) 老张想那个人以前很瘦，现在胖了。

5) 老張想那個人的頭髮變了嗎？
5) 老张想那个人的头发变了吗？

5) 對了，老張想那個人的頭髮以前很黑，現在都白了。
5) 对了，老张想那个人的头发以前很黑，现在都白了。

6) 老張想那個人的高矮變了嗎？
6) 老张想那个人的高矮变了吗？

6) 對了，老張想那個人以前很高，現在變矮了。
6) 对了，老张想那个人以前很高，现在变矮了。

7) 老張想那個人是誰？
7) 老张想那个人是谁？

7) 他想那個人是老王，但是那個人姓李。
7) 他想那个人是老王，但是那个人姓李。

8) 老張為什麼大叫起來？
8) 老张为什么大叫起来？

8) 因為他想老王連姓也變了。
8) 因为他想老王连姓也变了。

想 ？ 想

1. Choisir la bonne réponse / Choose the correct one

1) 老王是什麼樣子(什么样子)？

頭髮 {(1)黑 的 (2)白 的 (3)花白 的} 高矮 {(1)高 (2)矮 (3)不高也不矮} 胖瘦 {(1)不胖不瘦 (2)胖 子 (3)瘦 子}
(头发)

2) 老李是什麼樣子(什么样子)？

頭髮 {(1)白 的 (2)黑 的 (3)花白 的} 高矮 {(1)矮 (2)高 (3)不高也不矮} 胖瘦 {(1)不胖不瘦 (2)胖 子 (3)瘦 子}
(头发)

2. MOT CROISÉ / CROSS WORD PUZZLE

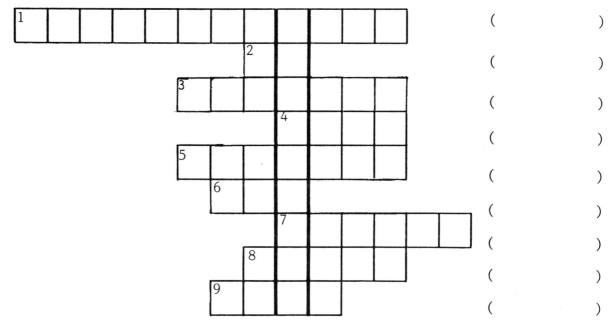

Mot mystère / Magic Word   ————————

中文(繁體)	中文(简体)
1) 很長時間沒有看見。	1) 很长时间没有看见。
2) 不高	2) 不高
3) 不是以前，也不是以後。	3) 不是以前，也不是以后。
4) 不胖	4) 不胖
5) 聽不見，請 _____ 説。	5) 听不见，请 _____ 说。
6) 老人的頭髮是____的。	6) 老人的头发是____的。
7) 從前	7) 从前
8) 走一走	8) 走一走
9) 吃得太多，就會變 ___。	9) 吃得太多，就会变 ___。

写 写

老張(张)
近視（视）眼 _____

_____

公園(园)
散步

_____

_____

好久不見(见)
說話(说话)

_____

_____

以前
現在
瘦
胖了

_____

_____

以前
現在
頭髮(头发)黑
白了

_____

_____

以前高
現在矮了
什麼（么）都
變(变)

_____

_____

姓
王
李

_____

_____

叫起來
連(连)…也…
變（变）了
姓 _____

听 听

（十四）　小氣鬼
　　　　　小气鬼　　XIǍOQÌGUǏ

1

2

3

4

5

6

7

8

听 听

XIĂOQÌGUĬ

(1) Lǎo Zhāng hé Lǎo Wáng shì línjū. (2) Yǒu yì tiān, Lǎo
Zhāng jiào érzi qù gēn Lǎo Wáng jiè yí ge chuízi. (3) Lǎo Wáng
wèn Lǎo Zhāng de érzi:

> "Nǐ bàba jiè chuízi shì dìng mù dǐng háishi dìng tiě
> dǐng a!"

> "Dìng tiě dǐng." Lǎo Zhāng de érzi huídá.

(4) "A! dìng tiě dǐng! Āiyā! zhēn duìbuqǐ. Huíqu gàosu
> nǐde bàba wǒmen de chuízi yǐjīng jiè gěi biéde
> péngyou le."

(5) Lǎo Zhāng de érzi huíjiā bǎ jièbudào chuízi de shì gàosu
le Lǎo Zhāng. Lǎo Zhāng tīng le yǐhòu, fēicháng shēngqì, (6) jiù
duì tāde érzi shuō:

> "Zhēn xiǎngbúdào! Shìjie shàng yǒu zhèyàng xiǎoqì
> de rén, lián yíge chuízi dōu bú jiè gěi línjū
> yòng yong."

(7) Lǎo Zhāng shuōwán le, jiù qù dǎkāi le yí ge xiāngzi, yòu
duì érzi shuō:

> (8) "Ài! zhēn méi fǎzi, xiànzài zhǐ hǎo bǎ zánmen jiā
> zìjǐ de chuízi náchulai yòng le!"

念 👁 念

（十四）小氣鬼

(1)老張和老王是鄰居。(2)有一天，老張叫兒子去跟老王借一個錘子。(3)老王問老張的兒子:

"你爸爸借錘子是釘木釘還是釘鐵釘？"

"釘鐵釘。"老張的兒子回答。

"(4)啊！釘鐵釘！真對不起！，回去告訴你的爸爸
我們的錘子已經借給別的朋友了。"

(5)老張的兒子回家把借不到錘子的事告訴了老張。老張聽了以後，非常生氣，(6)就對他的兒子說:

"真想不到！世界上有這樣小氣的人。
連一個錘子都不借給鄰居用用。" (7)

老張說完了，就去打開了一個箱子。又對兒子說:

(8)"唉！真沒法子！現在只好把咱們家自己的錘子拿出來用了。"

（十四）小气鬼

(1)老张和老王是邻居。(2)有一天，老张叫儿子去跟老王借一个锤子。(3)老王问老张的儿子:

"你爸爸借锤子是钉木钉还是钉铁钉？"

"钉铁钉。"老张的儿子回答。

"(4)啊！钉铁钉！真对不起！，回去告诉你的爸爸
我们的锤子已经借给别的朋友了。"

(5)老张的儿子回家把借不到锤子的事告诉了老张。老张听了以后，非常生气，(6)就对他的儿子说:

"真想不到！世界上有这样小气的人。
连一个锤子都不借给邻居用用。" (7)

老张说完了，就去打开了一个箱子。又对儿子说:

(8)"唉！真没法子！现在只好把咱们家自己的锤子拿出来用了。"

UNITÉ 14

说 说

1) 老張和老王是什麼關係
(guānxi:relation)？
1) 老张和老王是什么关系
(guānxi:relation)？

1) 他們是鄰居。
1) 他们是邻居。

2) 老張叫他兒子去跟老王借
什麼？
2) 老张叫他儿子去跟老王借
什么？

2) 他叫兒子去跟老王借一把錘子。
2) 他叫儿子去跟老王借一把锤子。

3) 老王問老張的兒子什麼問題？
3) 老王问老张的儿子什么问题？

3) 他問他們要用錘子釘鐵釘
還是釘木釘。
3) 他问他们要用锤子钉铁钉
还是钉木钉。

4) 老王爲什麼不借錘子給老張？
4) 老王为什么不借锤子给老张？

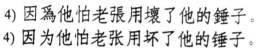

4) 因爲他怕老張用壞了他的錘子。
4) 因为他怕老张用坏了他的锤子。

5) 老王説錘子借給誰了？
5) 老王说锤子借给谁了？

5) 他説借給朋友了。
5) 他说借给朋友了。

6) 老張爲什麼很生氣？
6) 老张为什么很生气？

6) 他想老王很小氣。
6) 他想老王很小气。

7) 老張去打開一個箱子找什麼？
7) 老张去打开一个箱子找什么？

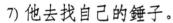

7) 他去找自己的錘子。
7) 他去找自己的锤子。

8) 老張爲什麼要用自己的錘子？
8) 老张为什么要用自己的锤子？

8) 因爲老王不借給他錘子，
他沒法子。
8) 因为老王不借给他锤子，
他没法子。

84

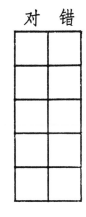

想 ？ 想

1. Vrai ou faux? / True or false?

对　错

1) 老張和老王都有錘子。
2) 老張比老王更小氣。
3) 老王的錘子真借給朋友了。
4) 老張忘了自己有錘子，
　　所以叫兒子去借錘子。
5) 老張的兒子去買了一個
　　錘子。

1) 老张和老王都有锤子。
2) 老张比老王更小气。
3) 老王的锤子真借给朋友了。
4) 老张忘了自己有锤子，
　　所以叫儿子去借锤子。
5) 老张的儿子去买了一个
　　锤子。

2. MOT CROISÉ / CROSS WORD PUZZLE

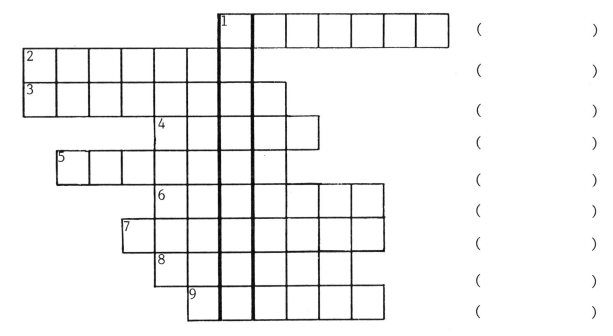

Mot mystère / Magic Word　————————

1)
2) 很不高興。
3) 借東西，但是別人不借給你。
4) 對人説。
5) 錯了的時候，説這個。
6) 沒有別的方法。
7) 錘子借給我 ＿＿＿＿ ，好嗎？
8) 　　9)

1)
2) 很不高兴。
3) 借东西，但是别人不借给你。
4) 对人说。
5) 错了的时候，说这个。
6) 没有别的方法。
7) 锤子借给我 ＿＿＿＿ ，好吗？
8) 　　9)

写 写

老張(张)
老王
鄰(邻)居

_____

兒(儿)子
跟…借
老王
錘(锤)子

_____

釘(钉)
木釘(钉)
還(还)是
鐵釘(铁钉)

_____

借給(给)
別的
朋友

_____

把…告訴(诉)…
借不到
錘(锤)子
…的事

_____

生氣(气)
想不到
世界上
小氣(气)

_____

老張(张)
打開(开)
箱子

_____

沒法子
只好
用
自己的

_____

听 👂 听

（十五）　哪裡！哪裡！
哪里！哪里！　　NǍLI！NǍLI！

1

2

3

4

5

6

7

8

9

听 听

NǍLI! NǍLI!

(1) Yǒu yí ge fānyì, wàiyǔ xué de mǎmǎhūhū. Yǒu yì tiān, tā péi zhe yí ge wàiguó zhuānjiā qù Chángchéng wán.

(2) Zài Chángchéng shang, zhè ge zhuānjiā kànjian le yí ge hěn piàoliang de Zhōngguó gūniang, (3) tā duì zhè ge gūniang shuō:

"Je suis enchanté./I am charmed."

Fānyì jiù bǎ zhè jù huà de yìsi gàosu le gūniang.

(4) Gūniang tīng le zhè ge huà, hěn bùhǎoyìsi de shuō:

"Nǎli! Nǎli!"

(5) Fānyì yòu gàosu zhuānjiā shuō:

"Elle a dit où? où?/She said where? where?"

(6) Zhè ge wàiguó zhuānjiā yòu bǎ gūniang cóng tóu dào jiǎo kàn le yí biàn, shuō:

(7) "Partout! partout!/Everywhere! Everywhere!"

(8) Gūniang tīng le fānyì shuō <Nǐ nǎr dōu piàoliang! Nǎr dōu piàoliang!> yǐhòu, (9) jiù gèng bùhǎoyìsi le.

念 👁 念

（十五）哪裡！哪裡！

(1) 有一個翻譯，外語學得馬馬虎虎。有一天，他陪着一個外國專家去長城玩 。

(2) 在長城上，這個專家看見了一個很漂亮的中國姑娘。
(3)他對這個姑娘説："Je suis enchanté./I am charmed."
翻譯就把這句話的意思告訴了姑娘。

(4)姑娘聽了這個話，很不好意思地説："哪裡！哪裡！"
(5)翻譯又告訴專家説："Elle a dit où? où?/She said where? where?"
(6)這個外國專家就把姑娘從頭到腳看了一遍，説：

(7) "Partout! partout!/Everywhere! Everywhere!"

(8)姑娘聽了翻譯説"你哪兒都漂亮，哪兒都漂亮"以後，就更不好意思了。

（十五）哪里！哪里！

(1) 有一个翻译，外语学得马马虎虎。有一天，他陪着一个外国专家去长城玩 。

(2) 在长城上，这个专家看见了一个很漂亮的中国姑娘。
(3)他对这个姑娘说："Je suis enchanté./I am charmed."
翻译就把这句话的意思告诉了姑娘。

(4)姑娘听了这个话，很不好意思地说："哪里！哪里！"
(5)翻译又告诉专家说："Elle a dit où? où?/She said where? where?"
(6)这个外国专家就把姑娘从头到脚看了一遍，说：

(7) "Partout! partout!/Everywhere! Everywhere!"

(8)姑娘听了翻译说"你哪儿都漂亮，哪儿都漂亮"以后，就更不好意思了。

说 说

1) 翻譯陪外國專家去哪兒玩兒?
1) 翻译陪外国专家去哪儿玩儿?

1) 他們去長城玩兒。
1) 他们去长城玩儿。

2) 他們在長城上看見誰了?
2) 他们在长城上看见谁了?

2) 他們看見了一個很漂亮的姑娘。
2) 他们看见了一个很漂亮的姑娘。

3) 專家對姑娘說什麼?是什麼意思?
3) 专家对姑娘说什么?是什么意思?

3) 他對姑娘説:" Je suis enchanté./I am charmed."
3) 他对姑娘说:" Je suis enchanté./I am charmed."

4) 姑娘聽見了翻譯的話以後,說什麼?
4) 姑娘听见了翻译的话以后,说什么?

4) 她説:"哪裡!哪裡!"
4) 她说:"哪里!哪里!"

5) 翻譯把"哪裡!"翻成了什麼意思?
5) 翻译把"哪里!"翻成了什么意思?

5) 翻譯把"哪裡!"翻成
5) 翻译把"哪里!"翻成 "Où?/Where?".

6) 外國專家把姑娘從頭到腳看了一遍,說什麼?
6) 外国专家把姑娘从头到脚看了一遍,说什么?

6) 他説:"Partout! Partout!/Everywhere! Everywhere!"

7) 姑娘爲什麼更不好意思了?
7) 姑娘为什么更不好意思了?

7) 因爲翻譯説她哪兒都漂亮。
7) 因为翻译说她哪儿都漂亮。

8) 專家明白姑娘爲什麼不好意思嗎?
8) 专家明白姑娘为什么不好意思吗?

8) 他不明白。

想 ？ 想

1. Choisir la bonne réponse / Choose the correct one

1) 你的中文说得真好！
  (1) 多謝 (2) 馬馬虎虎
  (3) 別客氣 (4) 不錯
2) 你真漂亮！
  (1) 非常感謝 (2) 哪裡，哪裡。
  (3) 馬馬虎虎 (4) 還差得遠。
3) 謝謝你的幫助。
  (1) 不要客氣 (2) 多謝
  (3) 還可以 (4) 不錯

1) 你的中文说得真好！
  (1) 多谢 (2) 马马虎虎
  (3) 别客气 (4) 不错
2) 你真漂亮！
  (1) 非常感谢 (2) 哪里！ 哪里！
  (3) 马马虎虎 (4) 还差得远。
3) 谢谢你的帮助。
  (1) 不要客气 (2) 多谢
  (3) 还可以 (4) 不错

I like to make more prog...

2. MOT CROISÉ / CROSS WORD PUZZLE

1. S h e n m e ( )
2. c h a n g c h e n g ( )
3. ( )
4. ( )
5. ( )
6. ( )
7. ( )
8. ( )

Mot mystère / Magic Word _____

1) 你叫 _____ 名字？
2) 中國北方有名的地方。
3) 請問去大學 _____ 走？
4) 非常好看
5) 漢語
6) 會一種專業的人
7) 你錯了，很_____。
8) 女孩子

1) 你叫 _____ 名字？
2) 中国北方有名的地方。
3) 请问去大学 _____ 走？
4) 非常好看
5) 汉语
6) 会一种专业的人
7) 你错了，很_____。
8) 女孩子

写写

翻譯(译)
陪着
專(专)家
長(长)城

漂亮
中國(国)
姑娘

不好意思
哪裡(里)

翻譯(译)
告訴(诉)
專(专)家
where? where?

從(从)頭(头)
　到腳
把⋯看一遍
姑娘

說(说)
Everywhere!
Everywhere!

哪兒(儿)都
漂亮

更
不好意思
了

听 听

（十六）　最好的基督徒　　ZUÌ HǍO DE JĪDŪTÚ

1

2

3

4

5

6

7

听 👂 听

ZUÌ HǍO DE JĪDŪTÚ

(1) Yí ge xīngqītiān de zǎoshang, yí ge Měiguórén jīngguò yí ge xiǎo jiàotáng, (2) tā kànjian jiàotáng lǐbiān zuò zhe hěn duō Zhōngguórén. Měi ge rén shǒu li dōu ná zhe yì běn Shèngjīng. (3) Tāmen yìbiār niàn Shèngjīng, yìbiār diǎntóu.

(4) Zhè ge Měiguórén yǐhòu chángcháng gàosu tāde péngyou: "Nǐmen zhīdao ma? Zhōngguórén shì shìjie shang zuì hǎo de jīdūtú. (5) Tāmen yìbiār niàn Shèngjīng, yìbiār diǎntóu. Tāmen xiāngxìn Shàngdì shuō de měi jù huà."

(6) Hòulái, zhè ge Měiguórén qù xuéxí Zhōngwén, tā cái míngbai wèishénme Zhōngguórén yìbiār niàn Shèngjīng, yìbiār diǎntóu. (7) Yīnwèi Zhōngwén shì kěyi cóng shàng wàng xià xiě de.

（十六）最好的基督徒

(1)一個星期天的早上，一個美國人經過一個小教堂。(2)他看見教堂裡邊坐着很多中國人。每個人手裡都拿着一本聖經。(3)他們一邊兒念聖經，一邊兒點頭。

(4)這個美國人以後常常告訴他的朋友：
"你們知道嗎？　中國人是世界上最好的基督徒。
(5)　他們一邊兒念聖經，一邊兒點頭。他們相信上帝說的每句話。"

(6)後來，這個美國人去學中文，他才明白爲什麼中國人一邊兒唸聖經，一邊兒點頭。(7)因爲中文是可以從上往下寫的。

（十六）最好的基督徒

(1)一个星期天的早上，一个美国人经过一个小教堂。(2)他看见教堂里边坐着很多中国人。每个人手里都拿着一本圣经。(3)他们一边儿念圣经，一边儿点头。

(4)这个美国人以后常常告诉他的朋友：
"你们知道吗？　中国人是世界上最好的基督徒。
(5)　他们一边儿念圣经，一边儿点头。他们相信上帝说的每句话。"

(6)后来，这个美国人去学中文，他才明白为什么中国人一边儿念圣经，一边儿点头。(7)因为中文是可以从上往下写的。

说 说

1) 一個美國人哪天經過哪兒？
1) 一个美国人哪天经过哪儿？

1) 他星期天早上經過一個教堂。
1) 他星期天早上经过一个教堂。

2) 那個教堂裡有什麼？
2) 那个教堂里有什么？

2) 教堂裡坐着很多中國人，每人
手裡都拿着一本聖經。"
2) 教堂里坐着很多中国人，每人
手里都拿着一本圣经。

3) 中國人在作什麼？
3) 中国人在作什么？

3) 他們一邊唸聖經，一邊點頭。
3) 他们一边念圣经，一边点头。

4) 這個美國人以後告訴朋友什麼？
4) 这个美国人以后告诉朋友什么？

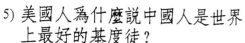

4) 他告訴朋友中國人是世界上
最好的基督教。
4) 他告诉朋友中国人是世界上
最好的基督教。

5) 美國人爲什麼説中國人是世界
上最好的基度徒？
5) 美国人为什么说中国人是世界
上最好的基度徒？

5) 因爲中國人相信聖經裡的
每句話。
5) 因为中国人相信圣经里的
每句话。

6) 這個美國人什麼時候才明白爲
什麼中國人一邊看聖經，一邊點頭？

6) 这个美国人什么时候才明白为
什麼中国人一边看圣经，一边点头？

6) 他後來學習中文才明白的。
6) 他后来学习中文才明白的。

7) 中文是怎麼寫的？
7) 中文是怎么写的？

7) 中文是從上往下寫的。
7) 中文是从上往下写的。

想 ? 想

MOT CROISÉ
CROSS WORD PUZZLE

Horizontal:
1) 基督徒星期天去的地方。
2) 想別人是對的。
3) 基督徒都相信他住在天堂。
4) 從外國來的人。
5) 比別人都好。
6) 懂

Vertical:
7) 一天的開始；中午以前
8) 一個星期的第一天
9) 每個基督徒都看的書。
10) 相信上帝的人
11) 我們住的地方
12) 想別人的意思對，就＿＿＿。

Horizontal:
1) 基督徒星期天去的地方。
2) 想别人是对的。
3) 基督徒都相信他住在天堂。
4) 从外国来的人。
5) 比别人都好。
6) 懂

Vertical:
7) 一天的开始；中午以前
8) 一个星期的第一天
9) 每个基督徒都看的书。
10) 相信上帝的人
11) 我们住的地方
12) 想别人的意思对，就＿＿＿。

写  写

星期天早上
美國(国)人
經過(过)
教堂

_____

_____

中國(国)人
拿着
聖經(经)

_____

_____

一邊兒(边儿)…,
一邊兒(边儿)…
唸聖經(经)
點頭(点头)

_____

_____

中國(国)人
世界
最好
基督徒

_____

_____

相信
上帝
每句話(话)

_____

_____

學習(学习)
中文
明白
點頭(点头)

_____

_____

因為(为)
中文
從(从)上往下
是…的

_____

_____

听 听

（十七） 奇跡發生了
奇迹发生了

QÍJÌ FĀSHĒNG LE

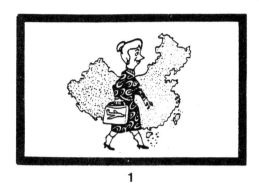

1

2

3

4

5

6

7

8

听 👂 听

QÍJĪ FĀSHĒNG LE

⭐(1) Yǒu yí ge lǎo tàitai qù Zhōngguó lǚxíng. (2) Tā cóng Zhōngguó huílai de shíhou, dài le yí ge dà píngzi.

⭐(3) Xià fēijī de shíhou, hǎiguān de rén wèn tā:
   "Qǐng wèn, nǐ de píngzi li zhuāng de shì shénme?"

⭐(4) "Ò! Zhè shì Láoshān kuàngquánshuǐ, shì cóng Zhōngguó dài
   huílai de."

⭐(5) Hǎiguān rényuán dǎkāi le píngzi, wén le yì wén, shuō:
   (6) "Tàitai, zhè bú shì kuàngquánshuǐ, zhè shì Máotáijiǔ ma!"

   (7) Lǎo tàitai tīng le zhè ge huà, liánmáng guìxia shuō:
⭐   "Gǎnxiè shàngdì a! Qíjī fāshēng le!"

wén • to smell
liánmáng • suddenly
guìxia • to kneel down
shàngdì • (God)
fāshēng • to happen
qíjī • miricale

dài (to bring)
píngzi (bottle)
hǎiguān (customs)
zhuāng (to fill)
rényuán
Láoshān kuàngquánshuǐ • mountain min. water
打开 • to open

念 👁 念

（十七）奇跡發生了

(1) 有一個老太太去中國旅行。(2)她從中國回來的時候，帶了一個大瓶子。(3)下飛機的時候，海關的人問她：

"請問，你的瓶子裡裝的是什麼？"
(4) "哦！這是嶗山礦泉水，是從中國帶回來的！"

(5)海關人員打開了瓶子，聞了一聞，說：
(6) "太太，這不是礦泉水。這是茅台酒嘛！"

(7)老太太聽了這個話，連忙跪下，說：
(8) "感謝上帝啊！奇跡發生了！"

（十七）奇迹发生了

(1) 有一个老太太去中国旅行。(2)她从中国回来的时候，带了一个大瓶子。(3)下飞机的时候，海关的人问她：

"请问，你的瓶子里装的是什么？"
(4) "哦！这是嶗山矿泉水，是从中国带回来的！"

(5)海关人员打开了瓶子，闻了一闻，说：
(6) "太太，这不是矿泉水。这是茅台酒嘛！"

(7)老太太听了这个话，连忙跪下，说：
(8) "感谢上帝啊！奇迹发生了！"

说 口 说

1) 老太太去哪兒旅行了？
1) 老太太去哪儿旅行了？

1) 她去中國旅行了？
1) 她去中国旅行了？

2) 她帶了什麼回來？
2) 她带了什么回来？
　　dài

2) 她帶回來了一個大瓶子
2) 她带回来了一个大瓶子。

3) 海關人員問她什麼？
3) 海关人员问她什么？

3) 問她瓶子裡裝的是什麼？
3) 问她瓶子里装的是什么？

4) 她是怎麼回答的？
4) 她是怎么回答的？
　　húidá

4) 他説裝的是嶗山礦泉水。
4) 他说装的是崂山矿泉水。
　　zhuāng　Pào

5) 海關人員為什麼打開瓶子？
5) 海关人员为什么打开瓶子？
　　kāiguān

5) 他不相信老太太的話。
5) 他不相信老太太的话。

6) 海關人員聞見瓶子裡是什麼？
6) 海关人员闻见瓶子里是什么？
　　wénjiàn

6) 他聞見茅台酒。
6) 他闻见茅台酒。

7) 老太太聽了海關人員的話，
　作什麼？
7) 老太太听了海关人员的话，
　作什么？
　zuò

7) 她連忙跪在地上。
7) 她连忙跪在地上。
　　Suddenly

8) 老太太為什麼感謝上帝？
8) 老太太为什么感谢上帝？shàngdì

Why does she thank the
God

8) 因為水變成了酒，奇跡發生了。
8) 因为水变成了酒，奇迹发生了。
Ïngwei
(because)　　miricale has
　　　　　　　happened

想 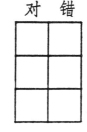 想

1. Vrai ou faux? / True or false?

对	错

1) 老太太是從中國回來的。
2) 她帶回來了一瓶中國酒。
3) 她不是好基督徒。

1) 老太太是从中国回来的。
2) 她带回来了一瓶中国酒。
3) 她不是好基督徒。

2. MOT CROISÉ / CROSS WORD PUZZLE

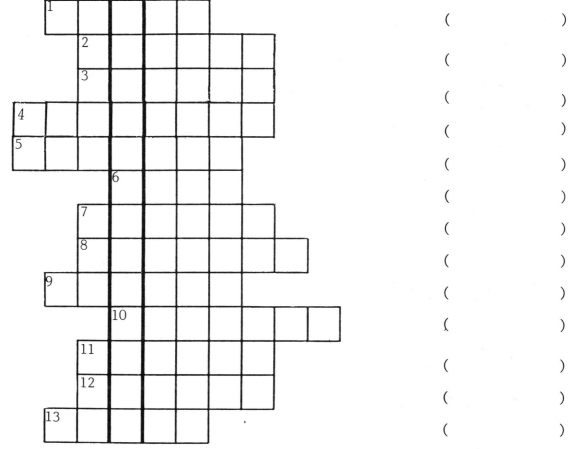

(   )
(   )
(   )
(   )
(   )
(   )
(   )
(   )
(   )
(   )
(   )
(   )
(   )

Mot mystère / Magic Word —————

1) 看書以前，要＿＿＿書。
2) 感謝上帝的時候，要 ＿＿＿ 。
3) 非常謝謝。
4) 很快
5) 去外國要經過這裡。
6) 不可能常發生的事
7) 去別的地方玩兒。
8) ＿＿＿ 什麼事了？
9)
10) 基督徒都相信他，他住在天上。
11) 瓶子裡 ＿＿＿ 的是什麼？
12) 再來一個地方。
13) 很多人坐這個去外國。

1) 看书以前，要＿＿＿书。
2) 感谢上帝的时候，要 ＿＿＿ 。
3) 非常谢谢。
4) 很快
5) 去外国要经过这里。
6) 不可能常发生的事
7) 去别的地方玩儿。
8) ＿＿＿ 什么事了？
9)
10) 基督徒都相信他，他住在天上。
11) 瓶子里 ＿＿＿ 的是什么？
12) 再来一个地方。
13) 很多人坐这个去外国。

写写

老太太
中國(国)
旅行

下飛機(飞机)
帶(带)
大瓶子

海關(关)的人
裝(装)
什麼(么)

嶗(崂)山
礦(矿)泉水

打開(开)
瓶子
聞(闻)

礦(矿)泉水
茅台酒

連(连)忙
跪下

感謝(谢)
上帝
奇跡(迹)
發(发)生

听 听

（十八）　两個酒鬼
　　　　　两个酒鬼　　　LIĂNG GE JIŬGUǏ

1

2

3

4

5

6

7

8

听 👂 听

LIǍNGGE JIǓGUǏ

(1) Yǒu liǎng ge jiǔguǐ zài jiǔguǎn li hē jiǔ. Tāmen hē le yì bēi yòu yì bēi. (2) Jiǔguǎn de qiáng shang yǒu yí ge dà jìngzi.

(3) Dì yí ge jiǔguǐ duì dì èr ge jiǔguǐ shuō:

   "Wèi! Nǐ kàn! Nàbiān yě yǒu liǎng ge rén zài hē jiǔ.

   (4) Zánmen guòqu gēn tāmen yìqǐ hē ba!"

(5) Dì èr ge jiǔguǐ shuō:

   "Hǎo zhúyi! Rén yuè duō yuè yǒuyìsi. Zánmen guòqu ba!"

(6) Zhè liǎng ge jiǔguǐ ná qilai jiǔbēi, zhànqilai, zhèng yào zǒu. (7) Dì yí ge jiǔguǐ yòu zhǐ zhe qiáng shuō:

   "Suàn le ba! Búyòng guòqu le. (8) Nǐ kàn!

   Tāmen liǎng ge rén yào guòlai le!"

念 👁 念

（十八）兩個酒鬼

(1) 有兩個酒鬼在酒館裡喝酒。他們喝了一杯又一杯。(2)酒館的墙上有一個大鏡子。第一個酒鬼對第二個酒鬼说：

(4)"喂！你看！那邊也有兩個人在喝酒。(4)咱們過去
　　跟他們一起喝吧！"

(5)第二個酒鬼说：

"好主意！人越多越有意思。咱們過去吧！"

(6) 這兩個酒鬼拿起來酒杯，站起來，正要走。(7)第一個酒鬼又指着牆说：

"算了吧！不用過去了。(8)你看！
他們兩個人要過來了。"

（十八）两个酒鬼

(1) 有两个酒鬼在酒馆里喝酒。他们喝了一杯又一杯。(2)酒馆的墙上有一个大镜子。第一个酒鬼对第二个酒鬼说：

(4)"喂！你看！那边也有两个人在喝酒。(4)咱们过去
　　跟他们一起喝吧！"

(5)第二个酒鬼说：

"好主意！人越多越有意思。咱们过去吧！"

(6) 这两个酒鬼拿起来酒杯，站起来，正要走。(7)第一个酒鬼又指着墙说：

"算了吧！不用过去了。(8)你看！
他们两个人要过来了。"

说 说

1) 兩個酒鬼在哪兒喝酒？他們喝了多少？
1) 两个酒鬼在哪儿喝酒？他们喝了多少？

1) 他們在酒館裡喝酒。他們喝了很多杯。
1) 他们在酒馆里喝酒。他们喝了很多杯。

2) 酒館牆上有什麼？
2) 酒馆墙上有什么？

2) 有一個大鏡子。
2) 有一个大镜子。

3) 第一個酒鬼指着鏡子說什麼？
3) 第一个酒鬼指着镜子说什么？

3) 他說那邊也有兩個人在喝酒。
3) 他说那边也有两个人在喝酒。

4) 他想去哪兒？作什麼？
4) 他想去哪儿？作什么？

4) 他想去那邊跟鏡子裡的那兩個人一起喝酒。
4) 他想去那边跟镜子里的那两个人一起喝酒。

说 说

5) 第二個酒鬼也想去嗎？
5) 第二个酒鬼也想去吗？

5) 對，他也想去。因為人越多
越有意思。
5) 对，他也想去。因为人越多
越有意思。

6) 兩個酒鬼拿起來什麼要過去？
6) 两个酒鬼拿起来什么要过去？

6) 他們拿起來酒杯要過去。
6) 他们拿起来酒杯要过去。

7) 第一個酒鬼又说什麼？
7) 第一个酒鬼又说什么？

7) 他又说：＂算了吧！不用
過去了！＂
7) 他又说：＂算了吧！不用
过去了！＂

8) 第一個酒鬼為什麼又不要
過去了？
8) 第一个酒鬼为什么又不要
过去了？

8) 因為他看見鏡子裡的兩個人要
過來了。
8) 因为他看见镜子里的两个人要
过来了。

想 ? 想

1. Choisir la bonne réponse / Choose the correct one

1) 酒館裡有幾個人在喝酒？
(1) 兩個 (2) 一個 (3) 四個

2) 酒鬼想有幾個人在喝酒？
(1) 兩個 (2) 一個 (3) 四個

3) 他們喝了多少酒？
(1) 一杯 (2) 兩杯 (3) 很多杯

1) 酒馆里有几个人在喝酒？
(1) 两个 (2) 一个 (3) 四个

2) 酒鬼想有几个人在喝酒？
(1) 两个 (2) 一个 (3) 四个

3) 他们喝了多少酒？
(1) 一杯 (2) 两杯 (3) 很多杯

2. MOT CROISÉ / CROSS WORD PUZZLE

Mot mystère / Magic Word _____

1) 每天喝很多酒的人
2) 喝酒的時候要用它。
3) 去那邊
4) 來這邊
5) 想法；你想什麼
6) 我們
7) 用這個你可以看見你自己

1) 每天喝很多酒的人
2) 喝酒的时候要用它。
3) 去那边
4) 来这边
5) 想法；你想什么
6) 我们
7) 用这个你可以看见你自己

写 写

酒鬼
酒館(馆)
喝酒

_____

_____

牆(墙)上
鏡(镜)子

_____

_____

那邊(边)
在
喝酒

_____

過(过)去
一起
喝

_____

越…越…
有意思

_____

拿起來
站起來
正要

_____

算了吧
不用…了
過(过)去

_____

要…了
過來(过 来)

_____

听 听

（十九） 摇醒寶寶
摇醒宝宝

YÁOXĬNG BǍOBAO

1

2

3

4

5

6

7

8

听 👂 听

YÁOXǏNG BǍOBAO

(1) Yǒu yí duì niánqīng de fūqī, dài zhe yí suì de bǎobao qù kàn diànyǐng. (2) Tāmen mǎi le liǎng zhāng diànyǐng piào. (3) Fúwùyuán gàosu tāmen yàoshi tāmen de bǎobao zài diànyǐngyuàn li kū le, tāmen jiù bìxū líkāi. (4) Dànshi diànyǐngyuàn kěyi bǎ piào qián tuì gěi tāmen.

(5) Diànyǐng kāishǐ le bàn xiǎoshí yǐhòu, (6) nánrén shuō:

"Zhè ge diànyǐng zhēn méiyǒu yìsi!"

(7) Nǚrén yě shuō:

"Wǒ cónglái méi kàn guo zhème wúliáo de diànyǐng!"

(8) "Kuài yáoxǐng bǎobao ba!" Nánrén shuō.

Wǔ fēn zhōng yǐhòu, zhè duì niánqīng de fūqī bào zhe kū zhe de bǎobao, ná zhe tuìhuí de diànyǐng piào qián, gāo gāo xìng xìng de líkāi le diànyǐnyuàn.

從來（不）(没)·never
一又寸
yī duì·couple
wú liǎo·boring
无聊
tùi·to return·退
要是·if
dài 帶·to take

（十九）搖醒寶寶

（1）有一對年輕的夫妻，帶着一歲的寶寶去看電影。(2)他們買了兩張電影票。(3)服務員告訴他們要是他們的寶寶在電影院裡哭了，他們就必須離開。(4)但是電影院可以把票錢退給他們。

（5）電影開始了半小時以後，(6)男人說：
"這個電影真沒有意思！"
(7)女人也說：
"我從來沒看過這麼無聊的電影！"
(8)"快搖醒寶寶吧！"男人說。

五分鐘以後，這對年輕的夫妻抱着哭着的寶寶，拿着退回的電影票錢，高高興興地離開了電影院。

（十九）搖醒宝宝

（1）有一对年轻的夫妻，带着一岁的宝宝去看电影。(2)他们买了两张电影票。(3)服务员告诉他们要是他们的宝宝在电影院里哭了，他们就必须离开。(4)但是电影院可以把票钱退给他们。

must

（5）电影开始了半小时以后，(6)男人说：
"这个电影真没有意思！"
(7)女人也说：
never before
"我从来没看过这么无聊的电影！"
(8)"快摇醒宝宝吧！"男人说。
to shake
wake
a sobau

五分钟以后，这对年轻的夫妻抱着哭着的宝宝，拿着退回的电影票钱，高高兴兴地离开了电影院。

说 说

1) 一對年輕的夫妻帶着寶寶去作什麼？。
1) 一对年轻的夫妻带着宝宝去作什么？。

1) 他們帶着寶寶去看電影。
1) 他们带着宝宝去看电影。

2) 他們買了什麼？
2) 他们买了什么？

2) 他們買了兩張電影票。
2) 他们买了两张电影票。

3) 服務員告訴他們什麼？
3) 服务员告诉他们什么？

3) 服務員告訴他們要是寶寶哭了，他們就必須離開。
3) 服务员告诉他们要是宝宝哭了，他们就必须离开。

4) 要是他們離開，電影院會作什麼？
4) 要是他们离开，电影院会作什么？

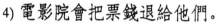

4) 電影院會把票錢退給他們。
4) 电影院会把票钱退给他们。

5) 他們看了多久的電影？
5) 他们看了多久的电影？

11:00 → 11:30

5) 他們看了半個小時。
5) 他们看了半个小时。

6) 男人想電影有意思嗎？
6) 男人想电影有意思吗？

6) 他想電影真沒意思。
6) 他想电影真没意思。

7) 女人想電影怎麼樣？
7) 女人想电影怎么样？

7) 她想電影很無聊，她從來沒看過這麼無聊的電影。
7) 她想电影很无聊，她从来没看过这么无聊的电影。

8) 他們為什麼要搖醒寶寶？
8) 他们为什么要摇醒宝宝？

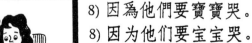

8) 因為他們要寶寶哭。
8) 因为他们要宝宝哭。

想 ? 想

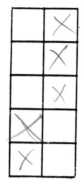

1. Vrai ou faux? / True or false?

对	错
	✕
	✕
	✕
✕	
	✕

1) 電影沒意思，可以退票。
2) 寶寶不喜歡看電影，所以哭了。
3) 這對夫妻以前看過這個電影。
4) 這對夫妻沒有花錢。
5) 寶寶醒的時候，會哭。

1) 电影没意思，可以退票。 (so)
2) 宝宝不喜欢看电影，所以哭了。
3) 这对夫妻以前看过这个电影。
4) 这对夫妻没有花钱。 huaqian +to spend money
5) 宝宝醒的时候，会哭。 xing(wake)

2. MOT CROISE / CROSS WORD PUZZLE

Mot mystère / Magic Word (   )

1) 看電影以前，要買這個。
2) 好看
3) 很小的孩子
4) 不老
5) 在電影院工作的人
6) 非常沒意思
7) 爸爸都是 _____ 。
8) 要是
9) 叫睡覺的人起來
10) 丈夫和妻子
11) 去別的地方
12) 三十分鐘

1) 看电影以前，要买这个。
2) 好看
3) 很小的孩子
4) 不老
5) 在电影院工作的人
6) 非常没意思
7) 爸爸都是 _____ 。
8) 要是
9) 叫睡觉的人起来
10) 丈夫和妻子
11) 去别的地方　12) 三十分钟

寫 写

年輕(轻)
夫妻
寶寶(宝)
電(电)影

買(买)
兩張(两 张)
票

服務(务)員(员)
要是…，就…
哭
離開(离 开)

但是
退
票錢(钱)

半小時(时)
以後(后)

男人
沒有意思

女人
從來(从来)
沒…過(过)
無(无)聊

搖醒
寶寶(宝)

听 听

（二十）　根根試過
　　　　　根根试过　　　GĒN GĒN SHÌ GUÒ

1

2

3

4

5

6

7

8

9

听 听

GĒN GĒN SHÌ GUO

(1) Bàba xiǎng chōuyān, dànshi zhǎobudào huǒchái. (2) Tā jiào
érzi Xiǎo Cōng qù mǎi yì hé. (3) Tā duì Xiǎo Cōng shuō:

"Zhè shì wǔ fēn qián, kuài qù gěi bàba mǎi yì hé huǒchái.

(4) Yào hǎo hǎo de kàn kan. Měi gēn dōu yào huádezhǎo

de."

(5) Xiǎo Cōng yìhuǐr jiù pǎo huilai le. Tā gěi bàba mǎi—
huilai le yì hé huǒchái, bàba hěn gāoxìng. (6) Dànshi tā huá le
hěn duō gēn, lián yì gēn yě huábuzháo. Bàba wèn Xiǎo Cōng:

(7) "Xiǎo Cōng, nǐ mǎi huǒchái de shíhou, méi kàn kan ma?

Zěnme lián yì gēn yě huábuzháo ne?"

(8) "Bàba, wǒ mǎi de shíhou, búdàn hǎo hǎo de kàn le, bìngqiě

gēn gēn dōu shì guo. Měi gēn dōu huádezháo a!"

(9) Xiǎo Cōng hěn yǒu lǐyou de huídá le bàba yǐhòu, jiù pǎo—
chuqu wán le.

念 👁 念

（ 二十 ）　　根根試過

（1）　爸爸想抽烟，但是找不到火柴。(2)他叫兒子小聰去買一盒。(3)他對兒子説:

"這是五分錢，快去給爸爸買一盒火柴。(4)
要好好地看看。每根都要划得着的。"

（5）　小聰一會兒就跑回來了。他給爸爸買回來了一盒火柴。爸爸很高興。(6)但是他划了很多根，連一根也划不着。
爸爸問小聰:(7)

"小聰，你買火柴的時候，沒看看嗎？
怎麼連一根也划不着呢？"
（8）"爸爸，我買的時候，不但好好地看了，
並且根根都試過。每一根都划得着啊！"

(9)小聰很有理由地回答了爸爸以後，就跑出去玩了。

（ 二十 ）　　根根试过

（1）　爸爸想抽烟，但是找不到火柴。(2)他叫儿子小聪去买一盒。(3)他对儿子说:

"这是五分钱，快去给爸爸买一盒火柴。(4)
要好好地看看。每根都要划得着的。"

（5）　小聪一会儿就跑回来了。他给爸爸买回来了一盒火柴。爸爸很高兴。(6)但是他划了很多根，连一根也划不着。
爸爸问小聪:(7)

"小聪，你买火柴的时候，没看看吗？
怎么连一根也划不着呢？"
（8）"爸爸，我买的时候，不但好好地看了，
并且根根都试过。每一根都划得着啊！"

(9)小聪很有理由地回答了爸爸以后，就跑出去玩了。

说 说

1) 爸爸想作什麼？他找不到什麼？
1) 爸爸想作什么？他找不到什么？

1) 爸爸想抽煙，他找不到火柴。
1) 爸爸想抽烟，他找不到火柴。

2) 爸爸叫誰去買什麼？
2) 爸爸叫谁去买什么？

2) 他叫兒子小聰去買一盒火柴。
2) 他叫儿子小聪去买一盒火柴。

3) 爸爸給小聰多少錢？
3) 爸爸给小聪多少钱？

duo shao

3) 他給小聰五分錢。
3) 他给小聪五分钱。

4) 他對小聰説什麼？
4) 他对小聪说什么？

4) 他对小聪说火柴要每根都划得着的。
4) 他對小聰説火柴要每根都划得着的。

5) 小聰買火柴了嗎？
5) 小聪买火柴了吗？

cong huochai

5) 他一會兒就買回來了。
5) 他一会儿就买回来了。

6) 爸爸划得着火柴嗎？
6) 爸爸划得着火柴吗？

6) 他划了很多根，連一根都划不着。
6) 他划了很多根，连一根都划不着。

7) 爸爸問小聰什麼？
7) 爸爸问小聪什么？

7) 他問小聰買火柴的時候，看了沒有。
7) 他问小聪买火柴的时候，看了没有。

8) 小聰為什麼説每根火柴都划得着？
8) 小聪为什么说每根火柴都划得着？

8) 因為他買的時候，根根都試過。
8) 因为他买的时候，根根都试过。

想 ? 想

1. Vrai ou faux? / True or false?

対	错

1) 小聰是一個很聽話的孩子。
2) 小聰不懂爸爸爲什麼
   划不着火柴。
3) 爸爸以後不會再叫小聰
   去買火柴了。
4) 一盒火柴有十根。

1) 小聪是一个很听话的孩子。
2) 小聪不懂爸爸为什么
   划不着火柴。
3) 爸爸以后不会再叫小聪
   去买火柴了。
4) 一盒火柴有十根。

2. MOT CROISÉ / CROSS WORD PUZZLE

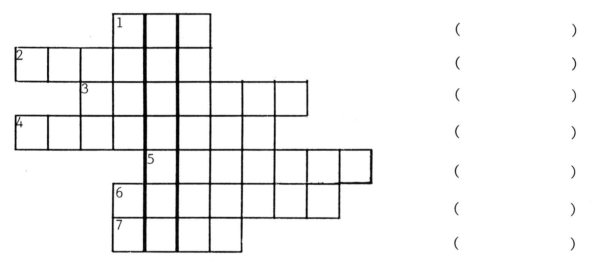

(   )
(   )
(   )
(   )
(   )
(   )
(   )

Mot mystère / Magic Word _____

1) 買以前，要先 ___ 一下。
2) 火柴爲什麼划不着？
3)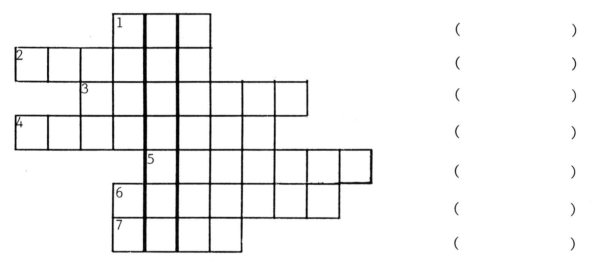
4) 孩子的名字
5)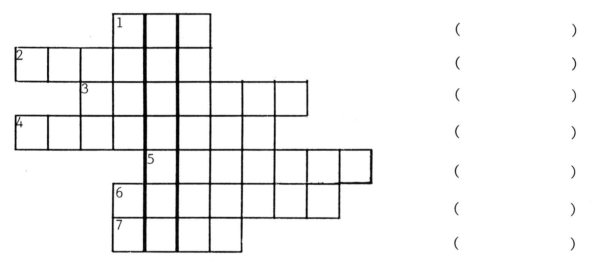
6) 快樂
7)

1) 买以前，要先 ___ 一下。
2) 火柴为什么划不着？
3)
4) 孩子的名字
5)
6) 快乐
7)

写  写

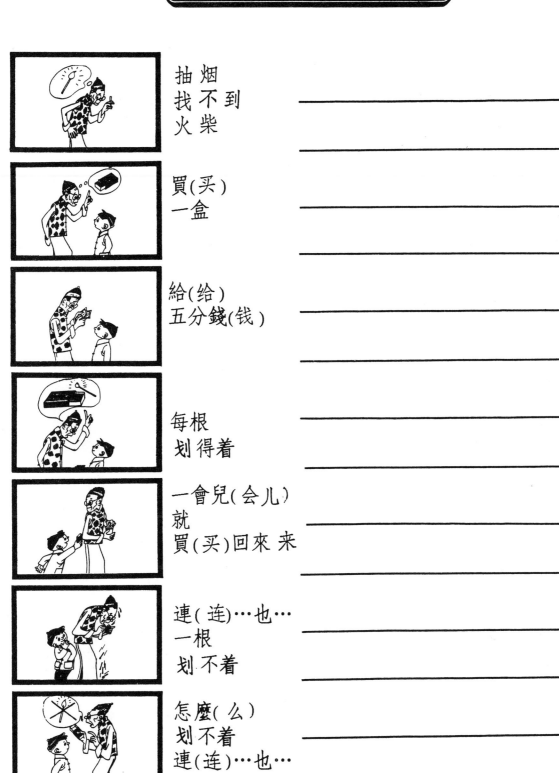

抽 烟
找 不 到
火 柴

_____

_____

買(买)
一盒

_____

_____

_____

給(给)
五分錢(钱)

_____

_____

_____

每根
划 得着

_____

_____

一會兒(会儿)
就
買(买)回來 来

_____

_____

_____

連(连)…也…
一根
划 不着

_____

_____

怎麼(么)
划不着
連(连)…也…

_____

_____

不但…並(并)且…
看
試過(试 过)

_____

_____

听 听

（二十一） 走後門
走后门

ZǑU HÒUMÉN

1

2

3

4

5

6

7

8

ZǑU HÒUMÉN

(1) Wǒmen dōu zhīdao guójiā de dà guān dōu shì hěn chéngshí de rén. (2) Yǒu yì tiān, yí ge ài zǒu hòumén de shāngrén qù jiàn yí ge dà guān. (3) Shāngrén yào sòng gěi dà guān yí liàng xīn qìchē.

(4) Dà guān tīng le shāngrén de huà yǐhòu, hěn shēngqì de shuō:

"Wǒ zěnme néng jiēshòu zhèyàng de lǐwù ne? Nǐ zhīdao wǒmen dōu shì wèi rénmín fúwù de....."

(5) Shāngrén liánmáng shuō:

"Wǒ dāngrán dǒng nǐde yìsi. Zhèyàng ba! Wǒ bǎ zhè ge qìchē mài gěi nǐ ba!"

(6) "Duōshao qián?" dà guān wèn.

(7) "Shí kuài qián." shāngrén huídá.

(8) Dà guān yì tīngjian le zhè ge jiàqián, liánmáng gāoxìng de shuō:

"Nàme, wǒ mǎi liǎng liàng ba!"

念 👁 念

（二十一）　　走後門

(1)　我們都知道國家的大官都是很誠實的人。(2)有一天，一個愛走後門的商人去見一個大官。　(3)　商人要送給這個大官一輛新汽車。(4)大官聽了商人的話以後，很生氣地說：
"我怎麼能接受這樣的禮物呢？
你知道我們都是爲人民服務的⋯"

(5)商人連忙說：
"我當然懂你的意思。這樣吧！我把這個汽車賣給你吧！"
(6)　"多少錢？"大官問。
(7)　"十塊錢。"商人回答。

(8)大官一聽見了這個價錢，連忙高興地說：
"那麼，我買兩輛吧！"

（二十一）　　走后门

(1)　我们都知道国家的大官都是很诚实的人。(2)有一天，一个爱走后门的商人去见一个大官。　(3)　商人要送给这个大官一辆新汽车。(4)大官听了商人的话以后，很生气地说：
"我怎么能接受这样的礼物呢？
你知道我们都是为人民服务的⋯"

(5)商人连忙说：
"我当然懂你的意思。这样吧！我把这个汽车卖给你吧！"
(6)　"多少钱？"大官问。
(7)　"十块钱。"商人回答。

(8)大官一听见了这个价钱，连忙高兴地说：
"那么，我买两辆吧！"

说 说

1) 國家的大官都是怎麼樣的人？
1) 国家的大官都是怎么样的人？

1) 他們都是誠實的人。
1) 他们都是诚实的人。

2) 誰來見一個大官？
2) 谁来见一个大官？

2) 一個愛走後門的商人來見一個大官。
2) 一个爱走后门的商人来见一个大官。

3) 商人要送給大官什麼？
3) 商人要送给大官什么？

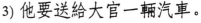

3) 他要送給大官一輛汽車。
3) 他要送给大官一辆汽车。

4) 大官說爲什麼他不能接受大官的禮物？
4) 大官说为什么他不能接受大官的礼物？

4) 大官說他是爲人民服務的。
4) 大官说他是为人民服务的。

5) 商人要把汽車怎麼樣？
5) 商人要把汽车怎么样？

5) 他要把汽車賣給大官。
5) 他要把汽车卖给大官。

6) 大官問商人什麼？
6) 大官问商人什么？

6) 他問商人汽車多少錢？
6) 他问商人汽车多少钱？

7) 商人說汽車多少錢一輛？
7) 商人说汽车多少钱一辆？

7) 他說十塊錢一輛。
7) 他说十块钱一辆。

8) 大官要買幾輛汽車？
8) 大官要买几辆汽车？

8) 他要買兩輛。
8) 他要买两辆。

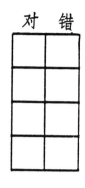

1. Vrai ou faux? / True or false?

	对	错
1)		
2)		
3)		
4)		

1) 商人送給大官汽車是要
走後門。
2) 這個大官很誠實。
3) 這個大官爲人民服務。
4) 十塊錢買一輛汽車跟
接受禮物一樣。

1) 商人送给大官汽车是要
走后门。
2) 这个大官很诚实。
3) 这个大官为人民服务。
4) 十块钱买一辆汽车跟
接受礼物一样。

2. MOT CROISÉ / CROSS WORD PUZZLE

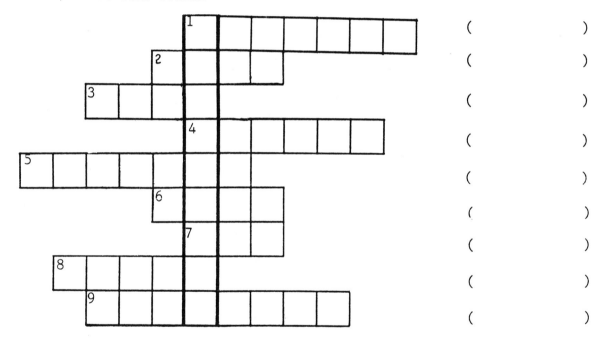

Mot mystère / Magic word _____

1) 跟人分開的時候説這個。
2) 知道別人的意思
3) 送給別人的東西
4) 後邊的門
5) 別人給你東西，你要了。
6) 我們都要爲人民 ____ 。
7) 給別人東西，別人給你錢。
8)
9) 説真話

1) 跟人分开的时候説这个。
2) 知道别人的意思
3) 送给别人的东西
4) 后边的门
5) 别人给你东西，你要了。
6) 我们都要为人民 ____ 。
7) 给别人东西，别人给你钱。
8)
9) 説真话

写一写

大官
誠實(诚实)

_____

_____

商人
走後門(后门)

_____

_____

送給(给)
大官
汽車(车)

_____

_____

接受
禮(礼)物
為(为)…服務(务)
人民

_____

_____

汽車(车)
賣給(卖给)

_____

_____

大官
問(问)
多少錢(钱)

_____

_____

商人
回答
十塊錢(块钱)

_____

_____

大官
買(买)
兩輛(两辆)

_____

_____

听 听

（二十二）　　我也不會
　　　　　　　我也不会　　WǑ YĚ BÚ HUÌ

1

2

3

4

5

6

7

8

听 听

WǑ YĚ BÚ HUÌ

(1) Bàngqiú jiàoliàn tīng shuō tāde zuì hǎo de qiúyuán Xiǎo Lǐ
bèi xuéxiào kāichú le, fēicháng shēngqì. (2) Tā qù zhǎo xiàozhǎng
wèn tā weìshénme kāichú le Xiǎo Lǐ. (3) Xiàozhǎng gàosu jiàoliàn
yīnwèi Xiǎo Lǐ kǎoshì zuòbì.

(4) Xiàozhǎng ná chulai liǎng zhāng kǎojuàn, duì jiàoliàn
shuō:

    "Nǐ kàn ba! Yígòng yǒu wǔ ge wèntí. (5) Xiǎo Lǐ de sì
    ge huídá gēn zuò zài tā pángbiān de xuésheng de yìmú -
    yíyàng."

(6) Jiàoliàn shuō:

    "Xiàozhǎng xiānsheng, nǐ zěnme zhīdao Xiǎo Lǐ méiyǒu
    zìjǐ huídá zhèxiē wèntí ne? Zài shuō, yě zhǐ yǒu
    sì ge wèntí hé pángbiān de xuésheng huídá de yíyàng a!"

(7) Xiàozhǎng zhǐ zhe dì wǔ ge huídá duì jiàoliàn shuō:

    "Nǐ shuō de duì. Dì wǔ ge huídá shì bù yíyàng.
    Nǐ zìjǐ kàn ba!"

(8) Xiǎo Lǐ pángbiān de nà ge xuésheng de huídá shì <Wǒ bú
huì.> Xiǎo Lǐ de huídá shì <Wǒ yě bú huì.>

念 👁 念

（二十二） 我也不會

（1） 棒球教練聽説他的最好的球員小李被學校開除了，非常生氣。(2)他去找校長，問他爲什麼開除了小李。(3)校長告訴教練因爲小李考試作弊。

(4)校長拿出來兩張考卷，對教練説：
　　　　　“你看吧！一共有五個問題。(5)小李的四個
　　　　　回答跟坐在他旁邊的學生的一模一樣。”
(6)教練説：“校長先生，你怎麼知道小李沒有自己回答
　　　　　這些問題呢？再説，也只有四個問題和
　　　　　旁邊的學生回答得一樣啊！”
(7)校長指着第五個問題回答教練説：
　　　　　“你説得對。第五個回答是不一樣。你自己看吧！”

(8)小李旁邊的那個學生的回答是『我不會。』。小李的回答是『我也不會。』。

（二十二） 我也不会

（1） 棒球教练听说他的最好的球员小李被学校开除了，非常生气。(2)他去找校长，问他为什么开除了小李。(3)校长告诉教练因为小李考试作弊。

(4)校长拿出来两张考卷，对教练说：
　　　　　“你看吧！一共有五个问题。(5)小李的四个
　　　　　回答跟坐在他旁边的学生的一模一样。”
(6)教练说：“校长先生，你怎么知道小李没有自己回答
　　　　　这些问题呢？再说，也只有四个问题和
　　　　　旁边的学生回答得一样啊！”
(7)校长指着第五个问题回答教练说：
　　　　　“你说得对。第五个回答是不一样。你自己看吧！”

(8)小李旁边的那个学生的回答是『我不会。』。小李的回答是『我也不会。』。

说 说

1) 教練爲什麼生氣？
1) 教练为什么生气？

1) 因爲他聽説他的最好的球員
　 小李被學校開除了。
1) 因为他听说他的最好的球员
　 小李被学校开除了。

2) 教練爲什麼去找校長？
2) 教练为什么去找校长？

2) 他要問校長爲什麼開除了
　 小李。
2) 他要问校长为什么开除了
　 小李。

3) 校長告訴教練什麼？
3) 校长告诉教练什么？

3) 他告訴教練小李考試作弊。
3) 他告诉教练小李考试作弊。

4) 考試一共有幾個問題？
4) 考试一共有几个问题？

4) 一共有五個。
4) 一共有五个。

5) 小李的前四個問題回答得跟
　 誰的一模一樣？
5) 小李的前四个问题回答得跟
　 谁的一模一样？

5) 跟坐在他旁邊的學生的一模
　 一樣。
5) 跟坐在他旁边的学生的一模
　 一样。

6) 教練爲什麼説小李沒有作弊？
6) 教练为什么说小李没有作弊？

6) 因爲他五個問題只有四個和
　 旁邊的學生回答得一樣。
6) 因为他五个问题只有四个和
　 旁边的学生回答得一样。

7) 第五個問題小李是怎麼
　 回答的？
7) 第五个问题小李是怎么
　 回答的？

7) 他的回答是《我也不會。》。
7) 他的回答是《我也不会。》。

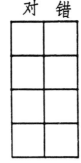

1. Vrai ou faux? / True or false?

	对	错
1)		
2)		
3)		
4)		

1) 小李不努力，所以教練生氣。
2) 第五個問題，小李沒有看
　 別人的回答。
3) 校長開除了小李，
　 因爲他不去練習足球。
4) 考試作弊是不好意思的事。

1) 小李不努力，所以教练生气。
2) 第五个问题，小李没有看
　 别人的回答。
3) 校长开除了小李，
　 因为他不去练习足球。
4) 考试作弊是不好意思的事。

2. MOT CROISÉ / CROSS WORD PUZZLE

Horizontal:
1) 教別人打球的人
2) 學生去那兒學習。
3) 左邊和右邊
4) 一種球
5) 打球的人
6) 很，很

Horizontal:
1) 教别人打球的人
2) 学生去那儿学习。
3) 左边和右边
4) 一种球
5) 打球的人
6) 很，很

Vertical:
7) 學校的第一個人
8) 寫考試用的紙
9) 不能去學校了。
10) 很不高興
11) 考試的時候，
　　看別人的回答。
12) 你教的人

Vertical:
7) 学校的第一个人
8) 写考试用的纸
9) 不能去学校了。
10) 很不高兴
11) 考试的时候，
　　看别人的回答。
12) 你教的人

被
開(开)除

教練(练)
生氣(气)
校長(长)

小李
考試(试)
作弊

一共
五個(个)
問(问)題(题)

四個(个)回答
跟…一模
　一樣(样)
旁邊(边)
學(学)生

只有
四個(个)

第五個(个)
不一樣(样)

也
不
會(会)

听 听

（二十三）

不要客氣
不要客气　　BÚ YÀO KÈQI

1

2

3

4

5

6

7

8

9

10

11

听 听

BÚ YÀO KÈQI

(1) Zhōngguó de xiàtiān, tiānqi hěn rè. Rénrén shǒu li dōu ná zhe yì bǎ shànzi. (2) Shànzi shang chángcháng yǒu huàr, yě yǒu zì.

(3) Lǎo Qián hěn ài xiě zì, tèbié xǐhuan zài biérén de shànzi shang xiě zì. (4) Yīnwèi tāde zǐ xiě de hěn nánkàn, suǒyǐ shuí ná zhe shànzi, shuí pà kànjian tā.

(5) Yǒu yì tiān, Lǎo Qián kànjian le yí ge péngyou ná zhe yì bǎ xīn shànzi, (6) jiù liánmáng zhuī shangqu.   (7) Lǎo Qián gēn péngyou yàolai shànzi. Yìbiār kàn, yìbiār shuō:

(8) "Hǎo shànzi! Hǎo shànzi!" Wǒ gěi nǐ zài shānzi shang xiě jǐ
        ge zì ba!"

(9) Lǎo Qián de péngyou yì tīngjian Lǎo Qián de huà, jiù liánmáng guìxia. (10) Lǎo Qián mǎshàng duì péngyou shuō:
        "Nǐ zěnme zhème kèqi? Búyào xiè!   Búyào xiè!"
(11) "Wǒ bú shì kèqi. Wǒ shì qiú nǐ bié zāota le
        wǒde shànzi!"
Lǎo Qián de péngyou guì zài dì shang qiú Lǎo Qián.

念 👁 念

（二十三）　不要客氣

（1）中國的夏天，天氣很熱。人人手裡都拿着一把扇子。
（2）扇子上常常有畫兒，也有字。

（3）老錢很愛寫字。特別喜歡在別人的扇子上寫字。（4）因爲他的字寫得很難看。所以誰拿着扇子，誰怕看見他。

（5）有一天，老錢看見了一個朋友拿着一把新扇子，（6）就連忙追上去。（7）老錢跟朋友要來扇子。一邊兒看，一邊兒說："好扇子！好扇子！（8）我給你在扇子上寫幾個字吧！"
（9）老錢的朋友一聽見老錢的話，就連忙跪下。（10）老錢馬上對朋友說："你怎麼這麼客氣！不要謝！不要謝！"
　　（11）"我不是客氣。我是求你別糟蹋了我的扇子！"
老錢的朋友跪在地上求老錢。

（二十三）　不要客气

（1）中国的夏天，天气很热。人人手里都拿着一把扇子。
（2）扇子上常常有画儿，也有字。

（3）老钱很爱写字。特别喜欢在别人的扇子上写字。（4）因为他的字写得很难看。所以谁拿着扇子，谁怕看见他。

（5）有一天，老钱看见了一个朋友拿着一把新扇子，（6）就连忙追上去。（7）老钱跟朋友要来扇子。一边儿看，一边儿说："好扇子！好扇子！（8）我给你在扇子上写几个字吧！"
（9）老钱的朋友一听见老钱的话，就连忙跪下。（10）老钱马上对朋友说："你怎么这么客气！不要谢！不要谢！"
　　（11）"我不是客气。我是求你别糟蹋了我的扇子！"
老钱的朋友跪在地上求老钱。

说 说

1) 在中國，夏天每個人手裡都
拿着什麼？
1) 在中国，夏天每个人手里都
拿着什么？

1) 人人手裡都拿着一把扇子。
1) 人人手里都拿着一把扇子。

2) 扇子上常常有什麼？
2) 扇子上常常有什么？

2) 扇子上常常有畫兒，也有字。
2) 扇子上常常有画儿，也有字。

3) 老錢喜歡作什麼？
3) 老钱喜欢作什么？

3) 他喜歡寫字。
3) 他喜欢写字。

4) 拿着扇子的人爲什麼都怕
看見老錢？
4) 拿着扇子的人为什么都怕
看见老钱？

4) 因爲老錢的字寫得很難看，
但是他特別喜歡在別人的
扇子上寫字。
4) 因为老钱的字写得很难看，
但是 他特别喜欢在别人的
扇子上写字。

5) 有一天老錢看見誰了？
5) 有一天老钱看见谁了？

5) 他看見一個朋友拿着一把
新扇子。
5) 他看见一个朋友拿着一把
新扇子。

6) 老錢爲什麼連忙去追那個朋友？
6) 老钱为什么连忙去追那个朋友？

6) 因爲他想跟朋友要來扇子。
6) 因为他想跟朋友要来扇子。

说 说

7) 老錢想朋友的扇子怎麼樣？
7) 老钱想朋友的扇子怎么样？

7) 他想朋友的扇子很好。

8) 老錢要在朋友的扇子上作
　　什麼？
8) 老钱要在朋友的扇子上作
　　什么？

8) 他要在扇子上寫幾個字。
8) 他要在扇子上写几个字。

9) 朋友聽見老錢要在他的扇子
　　上寫字，他連忙作什麼？
9) 朋友听见老钱要在他的扇子
　　上写字，他连忙作什么？

9) 他连忙跪下。
9) 他連忙跪下。

10) 老錢想朋友爲什麼跪下？
10) 老钱想朋友为什么跪下？

10) 老錢想朋友要謝謝他。
10) 老钱想朋友要谢谢他。

11)　朋友爲什麼跪下？
11)　朋友为什么跪下？

11)　他求老錢別在他的扇子上
　　　寫字。
11)　他求老钱别在他的扇子上
　　　写字。

想 ? 想

1. Vrai ou faux? / True or false?

1) 中國人喜歡拿着扇子，
因爲扇子很好看。
2) 老錢給人寫字，不要錢。
3) 老錢想自己的字很好看。
4) 別人想老錢的字很難看。

对	错

1) 中国人喜欢拿着扇子，
因为扇子很好看。
2) 老钱给人写字，不要钱。
3) 老钱想自己的字很好看。
4) 别人想老钱的字很难看。

2. MOT CROISÉ / CROSS WORD PUZZLE

( )

( )

( )

( )

( )

( )

( )

( )

Mot mystère / Magic word _____

1) 他 _____ 拿着什麼?
2) 天氣最熱的幾個月
3) 今天 _____ 怎麼樣?
4)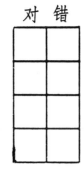
5) 沒有時間
6) 請別 _____ 了我的
好扇子。
7) 中國人用的字
8) 國名

1) 他 _____ 拿着什么?
2) 天气最热的几个月
3) 今天 _____ 怎么样?
4)
5) 没有时间
6) 请别 _____ 了我的
好扇子。
7) 中国人用的字
8) 国名

写  写

夏天
熱(热)
扇子

畫兒(画儿)
字
扇子

老錢(钱)
愛(爱)
寫(写)字
扇子

難(难)看
怕看見(见)
誰(谁)…,
　誰(谁)…

朋友
拿着
新扇子

追上去
要來(来)
扇子

写 写

一邊兒(边儿)…,
　一邊兒(边儿)…
好扇子

_____

_____

寫(写)
幾個(几个)
字

_____

_____

朋友
連(连)忙
跪下

_____

_____

不要
謝(谢)
客氣(气)

_____

_____

求
別糟蹋
扇子

_____

_____

听 听

（二十四） 吹牛 　　CHUĪNIÚ

听 听

CHUĪNIÚ

(1) Yǒu yí ge wàiguórén zuì ài chuīniú. (2) Yǒu yì tiān tā zài Běijīng cānguān. (3) Tā kànjian le Běijīng Fàndiàn, jiù wèn xiàngdǎo:

"Nǐmen de Běijīng Fàndiàn shì yòng duōshao shíjiān gàihǎo de?"

Xiàngdǎo huídá: "Wǔ nián."

(4) Wàiguórén shuō:

"Wǔ nián! Zài wǒmen guójiā, wǔ ge yuè jiù néng gàihǎo le."

(5) Yìhuǐr, wàiguórén yòu zhǐ zhe yí ge xīn de lǚguǎn wèn:

"Zhè ge lǚguǎn shì yòng duōshao shíjiān gàihǎo de?"

"Chàbuduō sān nián." Xiàngdǎo huídá.

(6) "Sān nián! Zài wǒmen guójiā, sān ge yuè jiù néng gàihǎo le."

(7) Dì èr tiān, tāmen qù cānguān Gùgōng Bówùyuàn. Wàiguórén zhǐ zhe Gùgōng shuō:

"Duōme xióngwěi a! (8) Gùgōng shì yòng duōshao nián gàihǎo de?"

(9) "Āiyā! Wǒ zuótiān lái de shíhou, hái méiyǒu kànjian zhèxiē lóu ne"

Xiàngdǎo gēn wàiguórén kāi le yí ge wánxiào.

念 ◉ 念

（二十四）吹牛

(1)有一個外國人最喜歡吹牛。(2)有一天，他在北京參觀。
(3)他看見了北京飯店，就問向導：
　　"你們的北京飯店是用多少時間蓋好的？"
向導回答："五年。"
(4)外國人説："五年！在我們國家，五個月就能蓋好了。"
　　(5)　一會兒，外國人又指着一個新的旅館問：
　　　　"這個旅館是用多少時間蓋好的？"
　　　　"差不多三年"向導回答。
　　(6)　"三年！在我們國家，三個月就能蓋好了！"

　　(7)第二天，他們參觀故宮博物院。外國人指着故宮説：
　　　　"多麼雄偉啊！(8)故宮是用多少年蓋好的？"
　　(9)　"哎呀！我昨天來的時候，還沒有看見這些樓呢！"
向導跟外國人開了一個玩笑。

（二十四）　　吹牛

(1)有一个外国人最喜欢吹牛。(2)有一天，他在北京参观。
(3)他看见了北京饭店，就问向导：
　　"你们的北京饭店是用多少时间盖好的？"
向导回答："五年。"
(4)外国人说："五年！在我们国家，五个月就能盖好了。"
　　(5)　一会儿，外国人又指着一个新的旅馆问：
　　　　"这个旅馆是用多少时间盖好的？"
　　　　"差不多三年"向导回答。
　　(6)　"三年！在我们国家，三个月就能盖好了！"

　　(7)第二天，他们参观故宫博物院。外国人指着故宫说：
　　　　"多么雄伟啊！(8)故宫是用多少年盖好的？"
　　(9)　"哎呀！我昨天来的时候，还没有看见这些楼呢！"
向导跟外国人开了一个玩笑。

说口说

1) 這個外國人最愛作什麼?
1) 这个外国人最爱作什么?

1) 他最愛吹牛。
1) 他最爱吹牛。

2) 外國人在北京作什麼?
2) 外国人在北京作什么?

2) 他在北京參觀。
2) 他在北京参观。

3) 外國人看見北京飯店的時候,
   問向導什麼?
3) 外国人看见北京饭店的时候,
   问向导什么?

3) 他問向導北京飯店是用多少
   時間蓋好的。
3) 他问向导北京饭店是用多少
   时间盖好的。

4) 向導告訴外國人那個旅館是
   幾年蓋好的?
4) 向导告诉外国人那个旅馆是
   几年盖好的?

4) 他告訴那個外國人新旅館是
   用三年的時間蓋好的。
4) 他告诉那个外国人新旅馆是
   用三年的时间盖好的。

5) 外國人吹新旅館在他的國家
   用多少時間就可以蓋好?
5) 外国人吹新旅馆在他的国家
   用多少时间就可以盖好?

5) 他吹在他的國家三個月就
   可以蓋好了。
5) 他吹在他的国家三个月就
   可以盖好了。

6) 外國人指着故宮说什麼?
6) 外国人指着故宫说什么?

6) 他说:"多麼雄偉啊!
6) 他说:"多么雄伟啊!

7) 外國人問向導什麼?
7) 外国人问向导什么?

7))他問向導故宮是用多少年
   蓋好的。
7))他问向导故宫是用多少年
   盖好的。

8) 向導是怎麼回答的?
8) 向导是怎么回答的?

8) 向導說昨天他還沒看見這些
   大樓呢。
8) 向导说昨天他还没看见这些
   大楼呢。

147

想 ❓ 想

MOT CROISÉ / CROSS WORD PUZZLE

Mot mystère / Magic word ———————

1) 中國的首都(shǒudū:capital)
2) "有" 的反義詞(fǎnyìcí:antonym)
3) 說大話
4) 看到
5) 不舊
6) 十二個月
7) 中國皇帝 (huángdì:emperor) 住的地方
8) 可以在那兒吃飯。
9) 陪參觀的人去參觀的人
10) 二十四小時
11) 大概
12) 我 ＿＿＿ 抽煙嗎？
13) 說笑話，不是真的。
14) 那兒有很多古老的東西。

1) 中国的首都(shǒudū:capital)
2) "有" 的反义词(fǎnyìcí:antonym)
3) 说大话
4) 看到
5) 不旧
6) 十二个月
7) 中国皇帝 (huangdi:emperor) 住的地方
8) 可以在那儿吃饭。
9) 陪参观的人去参观的人
10) 二十四小时
11) 大概
12) 我 ＿＿＿ 抽烟吗？
13) 说笑话，不是真的。
14) 那儿有很多古老的东西。

写 写

外國(国)人
吹牛

北京
參觀(参观)

北京飯(饭)店
是…的
蓋(盖)好
五年

國(国)家
五個(个)月

新旅館(馆)
蓋(盖)好
三年
三個(个)月

故宮博物院
多麼(么)
雄偉(伟)

蓋(盖)好
多少年
是…的

昨天
還(还)沒
看見(见)

听 听

（二十五） 太陽遠？　加拿大遠？
太阳远？　加拿大远？

TÀIYÁNG YUǍN? JIĀNÁDÀ YUǍN?

1

2

3

4

5

6

7

8

9

听 听

TÀIYÁNG YUǍN? JIĀNÁDÀ YUǍN?

(1) Xiǎo Míng de shūshu cóng Jiānádà lái kàn tāmen. (2) Xiǎo Míng hé bàba, māma yìqǐ qù fēijīchǎng huānyíng shūshu. (3) Zài fēijīchǎng, bàba wèn Xiǎo Míng:

> "Xiǎo Míng, shūshu cóng Jiānádà lái, nǐ zhīdao shì tàiyáng yuǎn háishi Jiānádà yuǎn?"

(4) "Dāngrán shì tàiyáng yuǎn a! (5) Yīnwèi shūshu cóng Jiānádà lái, dànshi méiyǒu rén cóng tàiyáng lái a!"

Xiǎo Míng hěn kuài de huídá le bàba de wèntí.

(6) Wǎnshang, dàjiā zuò zài yìqǐ chī wǎnfàn. Bàba bǎ zhè jiàn shì gàosu le shūshu. (7) Shūshu tīng le hěn gāoxìng, jiù shì shi Xiǎo Míng:

> "Xiǎo Míng, gàosu shūshu shì Jiānádà yuǎn, háishi tàiyáng yuǎn?"

> "Shūshu, dāngrán shì Jiānádà yuǎn le!" Xiǎo Míng huídá.

Xiǎo Míng de zhè ge huídá ràng bàba hěn bùhǎoyìsi. Bàba jiù wèn Xiǎo Míng:

> "Xiǎo Míng, jīntiān zǎoshang nǐ bú shì shuō tàiyáng bǐ Jiānádà yuǎn ma? Zěnme xiànzài biàn le ne?"

(9) "Wǒmen kàndejiàn tàiyáng, kànbujiàn Jiānádà. Dāngrán Jiānádà bǐ tàiyáng yuǎn le!"

Xiǎo Míng hěn yǒu lǐyóu de huídá le bàba.

念 👁 念

（二十五） 太陽遠？　加拿大遠？

(1)小明的叔叔從加拿大回來看他們。(2)小明和爸爸、媽媽一起去飛機場歡迎叔叔。

(3)在飛機場，爸爸問小明：

"小明，叔叔從加拿大來。你知道是太陽遠還是加拿大遠？"
(4)"當然是太陽遠啊！(5)因為叔叔從加拿大來，但是沒有人從太陽來啊！" 小明很快地回答了爸爸的問題。

(6) 晚上，大家坐在一起吃晚飯，爸爸把這件事告訴了叔叔。
(7)叔叔聽了很高興，就試試小明：

"小明，告訴叔叔是加拿大遠還是太陽遠？"
(8)"叔叔，當然是加拿大遠了！" 小明回答。

小明的這個回答讓爸爸很不好意思。爸爸就問小明：

"小明，今天早上你不是說太陽比加拿大遠嗎？怎麼現在變了呢？"
(9)"我們看得見太陽，看不見加拿大。當然加拿大比太陽遠了"
小明很有理由地回答了爸爸。

念 👁 念

（二十五）太阳远？　加拿大远？

(1)小明的叔叔从加拿大回来看他们。(2)小明和爸爸、妈妈一起去飞机场欢迎叔叔。

(3)在飞机场，爸爸问小明：

"小明，叔叔从加拿大来。你知道是太阳远还是加拿大远？"

(4)"当然是太阳远啊！(5)因为叔叔从加拿大来，但是没有人从太阳来啊！"小明很快地回答了爸爸的问题。

(6)晚上，大家坐在一起吃晚饭，爸爸把这件事告诉了叔叔。
(7)叔叔听了很高兴，就试试小明：

"小明，告诉叔叔是加拿大远还是太阳远？"
(8)"叔叔，当然是加拿大远了！"小明回答。

小明的这个回答让爸爸很不好意思。爸爸就问小明：

"小明，今天早上你不是说太阳比加拿大远吗？怎么现在变了呢？"
(9)"我们看得见太阳，看不见加拿大。当然加拿大比太阳远了"
小明很有理由地回答了爸爸。

说 说

1) 小明的叔叔從哪兒回來？
1) 小明的叔叔从哪儿回来？

1) 他從加拿大回來。
1) 他从加拿大回来。

2) 在飛機場爸爸問小明什麼問題？
2) 在飞机场爸爸问小明什么问题？

2) 他問小明是加拿大遠還是太陽遠。
2) 他问小明是加拿大远还是太阳远。

3) 小明怎樣回答爸爸的？
3) 小明怎样回答爸爸的？

3) 小明回答爸爸太陽遠。
3) 小明回答爸爸太阳远。

4) 小明爲什麼回答太陽遠？
4) 小明为什么回答太阳远？

4) 因爲叔叔從加拿大來，沒有人從太陽來。
4) 因为叔叔从加拿大来，没有人从太阳来。

5) 晚飯的時候，爸爸告訴小明的叔叔什麼？
5) 晚饭的时候，爸爸告诉小明的叔叔什么？

5) 他告訴小明的叔叔小明在飛機場的回答。
5) 他告诉小明的叔叔小明在飞机场的回答。

6) 叔叔問小明什麼？
6) 叔叔问小明什么？

6) 他問小明同樣的問題。
6) 他问小明同样的问题。

7) 小明是怎麼回答的？
7) 小明是怎么回答的？

7) 小明回答加拿大遠。
7) 小明回答加拿大远。

8) 小明爲什麼回答加拿大遠？
8) 小明为什么回答加拿大远？

8) 他說因爲我們看得見太陽，但是看不見加拿大。
8) 他说因为我们看得见太阳，但是看不见加拿大。

想 **?** 想

1. Vrai ou faux? / True or false?

1) 小明非常聰明。
2) 爸爸不好意思是因為
　　小明忘了早上的回答。
3) 小明的兩個回答，
　　一個對，一個不對。

对	错

1) 小明非常聪明。
2) 爸爸不好意思是因为
　　小明忘了早上的回答。
3) 小明的两个回答，
　　一个对，一个不对。

2. MOT CROISÉ / CROSS WORD PUZZLE

(　　　　　)
(　　　　　)
(　　　　　)
(　　　　　)
(　　　　　)
(　　　　　)
(　　　　　)
(　　　　　)

Mot mystère / Magic word　_____

1) 別人問問題，你 _____ 。
2) 爸爸的弟弟
3) 跟以前不一樣。
4) 國名
5) 你錯了，很 _____ 。
6) 去中國，要坐這個。
7) 在天上，給我們熱。
8) 不笨

1) 别人问问题，你 _____ 。
2) 爸爸的弟弟
3) 跟以前不一样。
4) 国名
5) 你错了，很 _____ 。
6) 去中国，要坐这个。
7) 在天上，给我们热。
8) 不笨

写 ✍ 写

小明
叔叔
加拿大
回來(来)

_____
_____

飛機場(飞机场)
太陽(阳)
加拿大
…還(还)是…

_____
_____

當(当)然
太陽(阳)
遠(远)

_____
_____

因爲(为)
叔叔
從(从)…來(来)
太陽(阳)

_____
_____

吃
晚飯(饭)
試試(试)

_____
_____

加拿大
太陽(阳)
遠(远)
…還(还)是…

_____
_____

當(当)然
加拿大
遠(远)

_____
_____

看得見(见)
看不見(见)
太陽(阳)
加拿大

_____
_____

听 听

（二十六） 猜謎語
猜谜语 CĀI MÍYǓ

听 听

CĀI MÍYŬ

(1) Jiàoshòu hé xuésheng zuò huǒchē lǚxíng. (2) Zài chē shang, tāmen hěn wúliáo. (3) Xuésheng jìanyì cāi míyǔ lái dǎfā shíjiān. (4) Jiàoshòu bìngqiě tíyì cāi bu chūlai de rén yào gěi yí kuài qián. (5) Xuésheng shuō:

"Nà tài bù gōngpíng le! Nǐ shì lǎoshī, nǐde xuéwen bǐ

wǒ hǎo. Yàoshi nǐ cāi bu chūlai, jiù yīnggāi gěi

liǎng kuài qián cái duì a!"

Jiàoshòu tóngyì le zhè ge fǎzi. Tāmen jiù kāishǐ cāi míyǔ le. (6) Xuésheng xiān shuō le yí ge míyǔ,

"Shénme dòngwù zǎoshang zài tiān shang fēi;

(7) Zhōngwǔ zài dì shang zǒu;

(8) Wǎnshang zài shuǐ li shuì?"

(9) Jiàoshòu xiǎng le hěn jiǔ, yě cāi bu chūlai. Tā jiù gěi le xuésheng liǎng kuài qián.

(10) Jiàoshòu hěn hàoqí, tā xiǎng zhīdao nà shì shénme dòngwù, jiù wèn xuésheng tóngyàng de míyǔ. (11) Xuésheng xiǎng le yìhuǐr shuō:

"Wǒ yě cāi bu chūlai. Xiànzài wǒ gěi nǐ yí kuài qián

ba!"

Shuōwán, tā jiù bǎ jiàoshòu gěi tāde nà liǎng kuài qián, huán gěi le jiàoshòu yíbàn.

念 👁 念

（二十六）　猜謎語

（1）教授和學生坐火車旅行。(2)在車上，他們很無聊。(3)學生建議猜謎語來打發時間。(4)教授並且提議猜不出來的人要給一塊錢。(5)學生説：

　　"那太不公平了！你是老師，你的學問比我好。
　　　要是你猜不出來，就應該給兩塊錢才對啊！"

教授同意了這個法子，他們就開始猜謎語了。(6)學生先説了一個謎語。
『什麼動物，早上在天上飛 ;(7) 中午在地上走 ;(8) 晚上在水裡睡？』
(9)教授想了很久，也猜不出來。他就給了學生兩塊錢。

　　（10）教授很好奇。他想知道那是什麼動物，就問學生同樣的謎語。
(11)　學生想了一會兒説：
　　"我也猜不出來。現在我給你一塊錢吧！"
説完，他就把教授給他的那兩塊錢，還給了教授一半。

（二十六）猜谜语

（1）教授和学生坐火车旅行。(2)在车上，他们很无聊。(3)学生建议猜谜语来打发时间。(4)教授并且提议猜不出来的人要给一块钱。(5)学生说：

　　"那太不公平了！你是老师，你的学问比我好。
　　　要是你猜不出来，就应该给两块钱才对啊！"

教授同意了这个法子，他们就开始猜谜语了。(6)学生先说了一个谜语。
『什么动物，早上在天上飞 ;(7) 中午在地上走 ;(8) 晚上在水里睡？』
(9)教授想了很久，也猜不出来。他就给了学生两块钱。

　　（10）教授很好奇。他想知道那是什么动物，就问学生同样的谜语。
(11)　学生想了一会儿说：
　　"我也猜不出来。现在我给你一块钱吧！"
说完，他就把教授给他的那两块钱，还给了教授一半。

说 说

1) 教授和學生在一起作什麼？
1) 教授和学生在一起作什么？

1) 他們一起坐火車旅行。
1) 他们一起坐火车旅行。

2) 學生提議怎麼打發時間？
2) 学生提议怎么打发时间？

2) 他提議猜謎語來打發時間。
2) 他提议猜谜语来打发时间。

3) 教授說猜不出來的人給多少錢？
3) 教授说猜不出来的人给多少钱？

3) 猜不出來的人要給一塊錢。
3) 猜不出来的人要给一块钱。

4) 學生爲什麼說老師猜不出來，
　要給兩塊錢？
4) 学生为什么说老师猜不出来，
　要给两块钱？

4) 因爲老師的學問比學生的好。
4) 因为老师的学问比学生的好。

5) 學生的謎語是什麼？
5) 学生的谜语是什么？

5) 學生的謎語是
　《什麼動物早上在天上飛？
5) 学生的谜语是
　《什么动物早上在天上飞？

说 说

中午在地上走？

晚上在水裡睡？ 》。
晚上在水里水？ 》。

6) 謎語教授猜出來了沒有？
6) 谜语教授猜出来了没有？

6) 教授沒有猜出來，他給學生
   兩塊錢。
6) 教授没有猜出来，他给学生
   两块钱。

7) 教授問學生什麼謎語？學生
   猜出來了嗎？
7) 教授问学生什么谜语？学生
   猜出来了吗？

7) 教授問學生同樣的謎語，
   學生也猜不出來。
7) 教授问学生同样的谜语，
   学生也猜不出来。

8) 學生給教授多少錢？
8) 学生给教授多少钱？

8) 他給教授一塊錢。
8) 他给教授一块钱。

想 ? 想

1. Vrai ou faux? / True or false?

对　错

1) 學生猜不出來，給教授一塊錢。			1) 学生猜不出来，给教授一块钱。
2) 教授猜不出來，給學生一塊錢。			2) 教授猜不出来，给学生一块钱。
3) 要是兩個人都猜不出來， 　　誰也不給誰錢。			3) 要是两个人都猜不出来， 　　谁也不给谁钱。
4) 學生的方法很聰明。			4) 学生的方法很聪明。

2。MOT CROISÉ / CROSS WORD PUZZLE

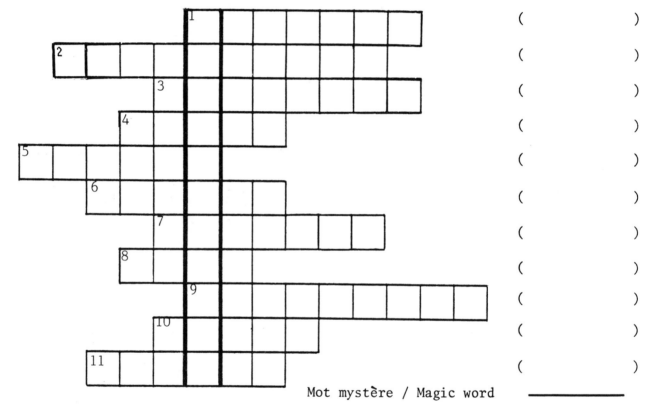

(　　　　)
(　　　　)
(　　　　)
(　　　　)
(　　　　)
(　　　　)
(　　　　)
(　　　　)
(　　　　)
(　　　　)
(　　　　)

Mot mystère / Magic word _____

1) 打發時間的好法子
2)$1
3) 教書的人
4) 兩塊錢的 _____ 是一塊。
5) 人是聰明的_____。
6) 〔圖〕
7)12:00-1:00 p.m.
8) 〔圖〕
9)$2.00
10) 很想知道。
11) 去別的地方玩兒。

1) 打发时间的好法子
2)$1
3) 教书的人
4) 两块钱的 _____ 是一块。
5) 人是聪明的_____。
6) 〔圖〕
7)12:00-1:00 p.m.
8) 〔圖〕
9)$2.00
10) 很想知道。
11) 去别的地方玩儿。

教授
學(学)生
火車(车)
旅行

無(无)聊
猜謎語(谜语)
打發(发)
時間(时间)

猜不出來(来)
一塊錢(块钱)

學問(学问)好
猜不出來(来)
兩塊錢
(两块钱)

動(动)物
飛(飞)
天上
早上

写  写

走
地上
中午

_____

_____

睡
水裡 (里)
晚上

_____

_____

教授
猜不出來 (来)
兩塊錢
(两块钱)

_____

_____

好奇
學 (学) 生
猜不出來 (来)

_____

_____

還給 (还给)
一半

_____

_____

听 👂 听

（二十七）　　三分之三　　SĀN FĒN ZHĪ SĀN

1

2

3

4

5

6

7

8

听 听

SĀN FĒN ZHĪ SĀN

(1) Yí ge xuézhě zuò xiǎo chuán guò hé. (2) Xuézhě kàn kan chuánfū, wèn chuánfū:

"Péngyou, nǐ dǒng yīnyuè ma?"

"Wǒ bù dǒng." chuánfū huídá.

(3) "Nàme, kělián de péngyou! nǐde shēngmìng jiù jiǎnshǎo le sān fēn zhī yī." Xuézhe duì chuánfū shuō.

(4) Yìhuǐr, xuézhě yòu wèn chuánfū:

"Nǐ dǒng yìshù ma?"

"Wǒ bù dǒng." Chuánfū huídá.

(5) "Nàme, kělián de péngyou! nǐde shēngmìng yòu jiǎnshǎo le sān fēn zhī yī."

(6) Chuán zǒu dào hé zhōng, hūrán tiānqi biàn le. Guā qǐ dà fēng lái le. Chuán zài shuǐ li yáo lái yáo qù. Zhè ge shíhou, chuánfū kàn kan xuézhě, wèn tā:

(7) "Nǐ dǒng zěnme yóuyǒng ma?"

"Wǒ bù dǒng." Xuézhě huídá.

(8) "Nàme, wǒ kělián de péngyou! nǐde shēngmìng mǎshàng jiù yào jiǎnshǎo sān fēn zhī sān le."

Chuánfū xiào zhe duì xuézhě shuō.

念 ◉ 念

（二十七） 三分之三

(1) 一個學者坐小船過河。(2)學者看看船夫，問船夫：
"朋友，你懂音樂嗎？" "我不懂。" 船夫回答。

(3) "那麼！可憐的朋友，你的生命就減少了三分之一。"
學者對船夫說。

(4) 一會兒，學者又問船夫：
"你懂藝術嗎？" "我不懂。" 船夫回答。

(5) "那麼，可憐的朋友，你的生命又減少了三分之一。"

(6) 船走到河中，忽然天氣變了。刮起大風來了。船在水裡
搖來搖去。這個時候，船夫看看學者，問他：

(7) "你懂怎麼游泳嗎？" "我不懂。" 學者回答。

(8) "那麼，可憐的朋友，你的生命馬上就要減少三分之三了。"
船夫笑着對學者說。

（二十七）三分之三

(1) 一个学者坐小船过河。(2)学者看看船夫，问船夫：
"朋友，你懂音乐吗？" "我不懂。" 船夫回答。

(3) "那么！可怜的朋友，你的生命就减少了三分之一。"
学者对船夫说。

(4) 一会儿，学者又问船夫：
"你懂艺术吗？" "我不懂。" 船夫回答。

(5) "那么，可怜的朋友，你的生命又减少了三分之一。"

(6) 船走到河中，忽然天气变了。刮起大风来了。船在水里
摇来摇去。这个时候，船夫看看学者，问他：

(7) "你懂怎么游泳吗？" "我不懂。" 学者回答。

(8) "那么，可怜的朋友，你的生命马上就要减少三分之三了。"
船夫笑着对学者说。

说 说

1) 學者坐什麼去哪兒？
1) 学者坐什么去哪儿？

1) 他坐小船過河。
1) 他坐小船过河。

2) 他問船夫什麼？
2) 他问船夫什么？

2) 他問船夫懂不懂音樂。
2) 他问船夫懂不懂音乐。

3) 船夫不懂音樂，學者說什麼？
3) 船夫不懂音乐，学者说什么？

3) 他說船夫的生命減少了三分之一。
3) 他说船夫的生命减少了三分之一。

4) 學者又問船夫什麼？
4) 学者又问船夫什么？

4) 他問船夫懂不懂藝術？
4) 他问船夫懂不懂艺术？

5) 船夫不懂藝術，學者說什麼？
5) 船夫不懂艺术，学者说什么？

5) 他說船夫的生命又減少了三分之一。
5) 他说船夫的生命又减少了三分之一。

6) 船為什麼在水裡搖來搖去？
6) 船为什么在水里摇来摇去？

6) 因為天氣變了，刮大風了。
6) 因为天气变了，刮大风了。

7) 船夫問學者什麼？
7) 船夫问学者什么？

7) 他問學者會不會游泳。
7) 他问学者会不会游泳。

8) 學者不會游泳，船夫說什麼？
8) 学者不会游泳，船夫说什么？

8) 他說學者的生命就要減少三分之三了。
8) 他说学者的生命就要减少三分之三了。

想 ? 想

1. Choisir la bonne réponse / Choose the correct one

1） 學者想船夫的生命還有多少？
(1) 三分之一 (2) 三分之二
(3) 二分之一 (4) 三分之三

2) 船夫想學者的生命就要
(1) 沒有了 (2) 減少三分之一了
(3) 減少三分之二了。

3) 坐小船過河的時候，應該:
(1) 懂藝術 (2) 懂音樂 (3) 會游泳

4) 學者會游泳嗎？
(1) 不會 (2) 會一點兒
(3) 會三分之一

1） 学者想船夫的生命还有多少？
(1) 三分之一 (2) 三分之二
(3) 二分之一 (4) 三分之三

2) 船夫想学者的生命就要
(1) 没有了 (2) 减少三分之一了
(3) 减少三分之二了。

3) 作小船过河的时候，应该:
(1) 懂艺术 (2) 懂音乐 (3) 会游泳

4) 学者会游泳吗？
(1) 不会 (2) 会一点儿
(3) 会三分之一

2. MOT CROISÉ / CROSS WORD PUZZLE

(　　　　)
(　　　　)
(　　　　)
(　　　　)
(　　　　)
(　　　　)
(　　　　)
(　　　　)
(　　　　)

Mot mystère / Magic word ─────────

1) 畫畫兒是 _____ 。
2) 比以前少。
3) 學問很好的人
4) 一種運動(sport)
5) 去河的那一邊。
6) 很快地
7) Beethoven 是 _____ 家。
8) 划船的人
9) 天氣不好的時候，常常 _____ 。

1) 画画儿是 _____ 。
2) 比以前少。
3) 学问很好的人
4) 一种运动(sport)
5) 去河的那一边。
6) 很快地
7) Beethoven 是 _____ 家。
8) 划船的人
9) 天气不好的时候，常常 _____ 。

写 写

學(学)者
小船
過(过)河

船夫
懂音樂(乐)

可憐(怜)
生命
減少
三分之一

懂
藝術(艺 术)

可憐(怜)
又
減少
三分之一

刮大風(风)
搖來(来)搖去

懂
游泳

可憐(怜)
馬(马)上
減少
三分之三

听 听

（二十八）

视力太差
视力太差

SHÌLÌ TÀI CHÀ

1

2

3

4

5

6

7

8

9

10

11

12

听 听

SHÌLÌ TÀI CHÀ

(1) Zài Měiguó, shēntǐ hǎo de niánqīng rén dōu yào dāngbīng.
(2) Yǒu yí ge rén bù xǐhuan qù dāngbīng. (3) Tā qǐng dàifu jiǎnchá tāde shìlì.

(4) Dàifu zhǐ zhe yì bǎ yǐzi duì tā shuō:

"Zuò zài nà bǎ yǐzi shàng!"

"Yǐzi! Shénme yǐzi?"

Zhè ge niánqīng rén kànbujiàn yǐzi zài nǎr. (5) Dàifu dài tā dào yǐzi qiánbiān, jiào tā zuòxia.

(6) Dàifu yòu zhǐ zhe qiáng shàng de yì zhāng tú, duì tā shuō:

"Qǐng kàn nà zhāng tú!"

"Tú! Nǎr yǒu tú?"

Niánqīng rén yě kànbujiàn tú zài nǎr.

(7) Dàifu kàn kan tā, duì tā shuō:

"Nǐde yǎnjīng zhēn bù xíng! Shìlì tài chà, bù néng
dāngbīng."

(8) Niánqīng rén tīng le dàifu de huà, zhēn gāoxìng jí le. (9) Wǎnshang, tā jiù qù kàn yí ge diànyǐng.

(10) Diànyǐng wánle, dēng liàng le. (11) Zhè ge niánqīng rén yí kàn, Zāogāo! gěi tā jiǎnchá yǎnjīng de nà ge dàifu yě zài kàn diànyǐng, bìngqiě jiù zuò zài tāde pángbiān. Zhè ge niánqīng rén zhēn bùhǎoyìsi. (12) Tā xiǎng le xiǎng yǐhòu, duì dàifu shuō:

"Duìbuqǐ, xiānsheng, qǐng wèn zhè ge chē jǐ diǎn dào
Niǔyuē?"

念 👁 念

（二十八） 視力太差

(1) 在美國，身體好的年輕人都要當兵。(2)有一個人不喜歡去當兵。(3)他請大夫檢查他的視力。

(4) 大夫指着一把椅子對他說：
　　　"坐在那把椅子上！"
　　　"椅子！什麼椅子？"
這個年輕人看不見椅子在哪兒。(5)大夫帶他到椅子前邊，叫他坐下。

(6) 大夫又指着牆上的一張圖，對他說：
　　　"請看那張圖！"
　　　"圖！哪兒有圖？"
年輕人也看不見圖在哪兒。

(7) 大夫看看他，對他說：
　　　"你的眼睛真不行！視力太差，不能當兵。"

(8) 年輕人聽了大夫的話，真高興極了。(9)晚上，他就去看一個電影。 (10) 電影完了，燈亮了。 (11) 這個年輕人一看，糟糕！給他檢查眼睛的那個大夫也在看電影，並且就坐在他的旁邊。這個年輕人真不好意思。

(12)他想了想以後，對大夫說：
　　　"對不起，先生，請問這個車幾點到紐約？"

念 👁 念

（二十八）视力太差

(1) 在美国，身体好的年轻人都要当兵。(2)有一个人不喜欢去当兵。(3)他请大夫检查他的视力。

(4) 大夫指着一把椅子对他说：
　　"坐在那把椅子上！"
　　"椅子！什么椅子？"
这个年轻人看不见椅子在哪儿。(5)大夫带他到椅子前边，叫他坐下。

(6) 大夫又指着墙上的一张图，对他说：
　　"请看那张图！"
　　"图！哪儿有图？"
年轻人也看不见图在哪儿。

(7) 大夫看看他，对他说：
　　"你的眼睛真不行！视力太差，不能当兵。"

(8) 年轻人听了大夫的话，真高兴极了。(9)晚上，他就去看一个电影。 (10) 电影完了，灯亮了。 (11) 这个年轻人一看，糟糕！给他检查眼睛的那个大夫也在看电影，并且就坐在他的旁边。这个年轻人真不好意思。

(12) 他想了想以后，对大夫说：
　　"对不起，先生，请问这个车几点到纽约？"

说 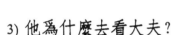 说

1) 在美國什麼人要當兵？
1) 在美国什么人要当兵？

1) 身體好的年輕人都要當兵。
1) 身体好的年轻人都要当兵。

2) 這個年輕人喜歡當兵嗎？
2) 这个年轻人喜欢当兵吗？

2) 他不喜歡。
2) 他不喜欢。

3) 他爲什麼去看大夫？
3) 他为什么去看大夫？

3) 他要請大夫檢查他的視力。
3) 他要请大夫检查他的视力。

4) 年輕人看得見椅子在哪兒嗎？
4) 年轻人看得见椅子在哪儿吗？

4) 他看不見椅子在哪兒。
4) 他看不见椅子在哪儿。

5) 年輕人是怎麼找到椅子的？
5) 年轻人是怎么找到椅子的？

5) 是大夫帶他到椅子前邊的。
5) 是大夫带他到椅子前边的。

6) 年輕人看得見圖在哪兒嗎？
6) 年轻人看得见图在哪儿吗？

6) 他也看不見。
6) 他也看不见。

说  说

7) 大夫想年輕人能當兵嗎？
爲什麼？
7) 大夫想年轻人能当兵吗？
为什么？

7) 她想年輕人不能當兵，因爲
他的視力太差。
7) 她想年轻人不能当兵，因为
他的视力太差。

8) 年輕人爲什麼真高興？
8) 年轻人为什么真高兴？

8) 因爲他可以不當兵。
8) 因为他可以不当兵。

9) 晚上年輕人去哪兒？作什麼？
9) 晚上年轻人去哪儿？作什么？

9) 他去看一個電影。
9) 他去看一个电影。

10) 電影完了，燈亮了，年輕人
看見誰了？
10) 电影完了，灯亮了，年轻人
看见谁了？

10) 年輕人看見那個給他檢查
視力的大夫了。
10) 年轻人看见那个给他检查
视力的大夫了。

11) 年輕人爲什麼不好意思？
11) 年轻人为什么不好意思？

11) 因爲他不要大夫知道他的
視力好。
11) 因为他不要大夫知道他的
视力好。

12) 年輕人問大夫什麼？
12) 年轻人问大夫什么？

12) 他問大夫這個車幾點到紐約？
12) 他问大夫这个车几点到纽约？

想 ? 想

1. Vrai ou faux? / True or false?

对	错

1) 這個年輕人的視力很好。
2) 年輕人叫大夫"先生"，因爲他看不見大夫是女人。
3) 他請大夫看電影。
4) 年輕人真要去紐約。

1) 这个年轻人的视力很好。
2) 年轻人叫大夫"先生"，因为他看不见大夫是女人。
3) 他请大夫看电影。
4) 年轻人真要去纽约。

2. MOT CROISÉ / CROSS WORD PUZZLE

( )
( )
( )
( )
( )
( )
( )
( )
( )
( )
( )
( )
( )

Mot mystère / Magic word _____

1) 每人有兩個，能看東西。
2) 你坐在上邊。
3) 每個年輕男人要作這個。
4) 每天晚上你要用它。
5) 很不好
6) 非常，很
7) 給你看病的人
8) 你錯了，很_____。
9) 眼睛看的能力
10) 美國的一個城
11) 12)
13) 開燈的時候，很___。

1) 每人有两个，能看东西。
2) 你坐在上边。
3) 每个年轻男人要作这个。
4) 每天晚上你要用它。
5) 很不好
6) 非常，很
7) 给你看病的人
8) 你错了，很_____。
9) 眼睛看的能力
10) 美国的一个城
11) 12)
13) 开灯的时候，很___。

写 写

美國(国)
年輕(轻)人
身體(体)好
當(当)兵

_____

_____

不喜歡(欢)
當(当)兵

_____

_____

大夫
檢(检)查
視(视)力

_____

_____

椅子
看不見(见)

_____

_____

大夫
帶(带)
椅子
前邊(边)

_____

_____

圖(图)
看不見(见)

_____

_____

写 写

視(视)力
太差
當(当)兵

_____

_____

年輕(轻)人
高興(兴)

_____

_____

晚上
電(电)影

_____

_____

電(电)影
完
燈(灯)亮
大夫
旁邊(边)

_____

_____

年輕(轻)人
不好意思

_____

_____

先生
車(车)
幾點(几点)
紐約(纽约)

_____

_____

听 听

（二十九） 怕老婆　　　PÀ LǍOPÓ

1

2

3

4

5

6

7

8

9

10

11

12

听 听

PÀ LǍOPÓ

(1) Sān ge nánrén zài yìqǐ liáotiān. Měi ge rén dōu chuīniú shuō tāmen bú pà lǎopó.

(2) Dì yī ge nánrén shuō:

"Wǒmen jiā hěn mínzhǔ. Shuí dōu kěyi shuōchū zìjǐ de yìjiàn. Yǒu shíhou, wǒ tīng wǒ àiren de; yǒu shíhou, wǒ àiren tīng wǒde. Bǐfāng shuō, (3) rúguǒ wǒde yìjiàn gēn wǒ àiren de bù yíyàng, wǒ jiù tīng tāde; (4) rúguǒ wǒde yìjiàn gēn tāde yíyàng, tā jiù tīng wǒde."

(5) Dì èr ge nánrén shuō:

"Wǒmen jiā hěn píngděng. Jiā li de shì wǒ hé wǒ àiren fēngōng hézuò. Bǐfāng shuō, (6) wǒ guǎn kètīng hé chúfáng; (7) wǒ àiren guǎn háizi hé wǒ."

(8) Dì sān ge nánrén shuō:

"Wǒ jiā gēn nǐmende dōu bù yíyàng. Wǒ jiā jì bù mínzhǔ, yě bù píngděng. (9) Wǒ shì hěn dúcái de. (10) Zài wǒmen jiā, dà shì wǒ guǎn; (11) xiǎo shì wǒ àiren guǎn. (12) Dànshi wǒmen jiéhūn yǐjīng èrshí duō nián le, wǒmen jiā hái cónglái méiyǒu fāshēng guò yí jiàn dà shì ne!"

念 👁 念

（二十九）　　怕老婆

(1)三個男人在一起聊天。每個人都吹牛説他們不怕老婆。

(2)第一個男人説："我們家很民主。誰都可以説出自己的意見。有時候，我聽我愛人的；有時候，我愛人聽我的。比方説(3)如果我的意見跟我愛人的不一樣，我就聽她的;(4) 如果我的意見跟她的一樣，她就聽我的。"

(5)第二個男人説："我們家很平等。家裡的事我和我愛人分工合作。比方説(6)我管客廳和廚房;(7) 我愛人管我和孩子。"

(8)第三個男人説："我家跟你們的都不一樣。我家既不民主，也不平等。(9)我是很獨裁的.(10) 在我們家裡，大事我管;(11)小事我愛人管。 (12) 但是，我們結婚已經二十多年了，我們家還從來沒有發生過一件大事呢！"

（二十九）　　怕老婆

(1)三个男人在一起聊天。每个人都吹牛说他们不怕老婆。

(2)第一个男人说："我们家很民主。谁都可以说出自己的意见。有时候，我听我爱人的；有时候，我爱人听我的。比方说(3)如果我的意见跟我爱人的不一样，我就听她的;(4) 如果我的意见跟她的一样，她就听我的。"

(5)第二个男人说："我们家很平等。家里的事我和我爱人分工合作。比方说(6)我管客厅和厨房;(7) 我爱人管我和孩子。"

(8)第三个男人说："我家跟你们的都不一样。我家既不民主，也不平等。(9)我是很独裁的.(10) 在我们家里，大事我管;(11)小事我爱人管。 (12) 但是，我们结婚已经二十多年了，我们家还从来没有发生过一件大事呢！"

说 👄 说

1) 三個男人在一起作什麼?
   吹什麼牛?
1) 三个男人在一起作什么?
   吹什么牛?

1) 他們在一起聊天。吹牛説他們
   不怕老婆。
1) 他们在一起聊天。吹牛说他们
   不怕老婆。

2) 第一個男人爲什麼説他的家
   很民主?
2) 第一个男人为什么说他的家
   很民主?

2) 因爲誰都可以説出自己的意見。
2) 因为谁都可以说出自己的意见。

3) 什麼時候,第一個男人聽他的
   愛人的?
3) 什么时候,第一个男人听他的
   爱人的?

3) 如果他跟愛人意見不一樣的
   時候,他聽愛人的。
3) 如果他跟爱人意见不一样的
   时候,他听爱人的。

4) 什麼時候,第一個男人的愛人
   聽他的?
4) 什么时候,第一个男人的爱人
   听他的?

4) 如果他的意見跟愛人一樣的
   時候,她就聽他愛人的。
4) 如果他的意见跟爱人一样的
   时候,她就听他的。

5) 第二個男人爲什麼説他的家
   很平等?
5) 第二个男人为什么说他的家
   很平等?

5) 因爲家裡的事,他跟愛人
   分工合作。
5) 因为家里的事,他跟爱人
   分工合作。

6) 第二個男人管什麼?
6) 第二个男人管什么?

6) 他管客廳和廚房裡的事。
6) 他管客厅和厨房里的事。

说 说

7) 第二個男人的愛人管什麼事？
7) 第二个男人的爱人管什么事？

7) 她管第二個男人和孩子。
7) 她管第二个男人和孩子。

8) 第三個男人說他家民主和
平等嗎？
8) 第三个男人说他家民主和
平等吗？

8) 不，他說他家既不民主，
也不平等。
8) 不，他说他家既不民主，
也不平等。

9) 第三個男人說他是怎麼樣的
男人？
9) 第三个男人说他是怎么样的
男人？

9) 他說他很獨裁。
9) 他说他很独裁。

10) 第三個男人家誰管大事？
10) 第三个男人家谁管大事？

10) 男人管大事。

11) 誰管小事？
11) 谁管小事？

11) 他的愛人管小事。
11) 他的爱人管小事。

12) 第三個男人結婚了多少年了？
家裡發生過大事嗎？
12) 第三个男人结婚了多少年了？
家里发生过大事吗？

12)他們結婚了二十多年了，但是
家裡從來沒發生過一件大事。
12)他们结婚了二十多年了，但是
家里从来没发生过一件大事。

想 ❓ 想

1。Vrai ou faux? / True or false?

对　错

1) 三個男人不都怕老婆。
2) 第一個男人什麼都不聽愛人的。
3) 第二個男人的愛人要做飯。
4) 第三個男人管過很多家裡的
　　大事情，所以他很獨裁。
5) 這三個男人都是吹牛大王。
6) 他們說得都很有理。

1) 三个男人不都怕老婆。
2) 第一个男人什么都不听爱人的。
3) 第二个男人的爱人要做饭。
4) 第三个男人管过很多家里的
　　大事情，所以他很独裁。
5) 这三个男人都是吹牛大王。
6) 他们说得都很有理。

2。MOT CROISÉ / CROSS WORD PUZZLE

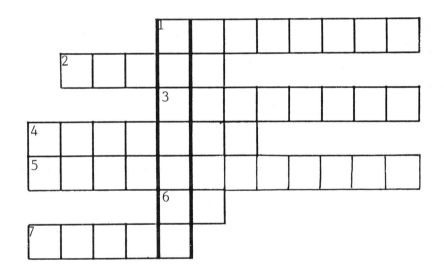

1) 大家都一樣。
2) 大家都聽一個人的。
3　大家一起談談。
4) 做飯的地方
5) 一件事，大家分着做。
6) 世界上沒有鬼，你別＿＿。
7) 要是

1) 大家都一样。
2) 大家都听一个人的。
3　大家一起谈谈。
4) 做饭的地方
5) 一件事，大家分着做。
6) 世界上没有鬼，你别＿＿。
7) 要是

写写

男人
聊天
吹牛
怕老婆

_____

_____

第一個(个)
民主
意見(见)

_____

_____

如果…，就…
不一樣(样)
聽(听)她的

_____

_____

如果…，就…
一樣(样)
聽(听)我的

_____

_____

第二個(个)
平等
分工合作

_____

_____

管
客廳(厅)
廚房

_____

_____

写 写

管
孩子
我

_____

_____

第三個(个)
既不…　也不…

_____

_____

獨(独)裁

_____

_____

大事
管

_____

_____

小事
管

_____

_____

結(结)婚
二十多年
發(发)生過(过)
從來(从来)沒有

_____

_____

听 听

（三十）　專治駝背
　　　　　专治驼背　　ZHUĀN ZHÌ TUÓBÈI

1

2

3

4

5

6

7

8

9

10

11

12

听 👂 听

ZHUĀN ZHÌ TUÓBÈI

(1) Gǔ shíhou, yǒu yíge dàifu shuō tā néng zhìhǎo tuóbèi. (2) Lǎo Zhāng cóng xiǎo jiù shì yí ge tuóbèi. Tā tīngshuō zhè ge dàifu néng zhìhǎo tuóbèi, jiù qù qǐng tā zhì tuóbèi, bìngqiě xiān gěi le dàifu shí kuài qián.

(3) Zhè ge dàifu ná lai le liǎng kuài mùbǎn. (4) Xiān bǎ yí kuài fàng zài dì shàng, jiào Lǎo Zhāng tǎng zài shàngmian. (5) Zài bǎ lìngwài yí kuài yā zài Lǎo Zhāng shēn shang, (6) ránhòu zài yòng yì gēn shéngzi bǎ liǎng kuài mùbǎn bǎngjǐn. (7) Zhè ge dàifu jiù zhàn zài mùbǎn shàngmian, pīnmìng de tiào. (8) Dàifu zài mùbǎn shang tiào le yí ge duō xiǎoshí yǐhòu, cái bǎ mùbǎn jiěkāi. (9) Lǎo Zhāng de bèi suīrán zhí le, dànshi kělián de Lǎo Zhāng, zǎo yǐjīng bèi yāsǐ le.

(10) Lǎo Zhāng de érzi yì tīngjian dàifu bǎ fùqin zhìsǐ le, jiù pǎolai yào dǎ dàifu. Zhè ge dàifu lǐzhíqìzhuàng de duì Lǎo Zhǎng de érzi shuō:

"Wǒ shì zhuān zhì tuóbèi de. Zhǐ guǎn rén zhí, (12) Nǎ guǎn rén sǐ?"

念 👁 念

（三十）　專治駝背

(1) 古時候，有一個大夫說他能治好駝背。(2)老張從小就是一個駝背。他聽說這個大夫能治好駝背，就去請他治駝背，並且先給了大夫十塊錢。

(3) 這個大夫拿來了兩塊木板。(4)先把一塊放在地上，叫老張躺在上面；(5) 再把另外一塊壓在老張身上；(6) 然後，再用一根繩子把兩塊木板綁緊。(7)這個大夫就站在木板上面，拼命地跳。(8)大夫在木板上跳了一個多小時以後，才把木板解開。(9)老張的背雖然直了，但是可憐的老張，早已經被壓死了。

(10) 老張的兒子一聽見大夫把父親治死了，就跑來要打大夫。

這個大夫理直氣壯地對老張的兒子說：
"我是專治駝背的。 (11) 只管人直， (12) 哪管人死？"

（三十）　专治驼背

(1) 古时候，有一个大夫说他能治好驼背。(2)老张从小就是一个驼背。他听说这个大夫能治好驼背，就去请他治驼背，并且先给了大夫十块钱。

(3) 这个大夫拿来了两块木板。(4)先把一块放在地上，叫老张躺在上面；(5) 再把另外一块压在老张身上；(6) 然后，再用一根绳子把两块木板绑紧。(7)这个大夫就站在木板上面，拼命地跳。(8)大夫在木板上跳了一个多小时以后，才把木板解开。(9)老张的背虽然直了，但是可怜的老张，早已经被压死了。 (10) 老张的儿子一听见大夫把父亲治死了，就跑来要打大夫。

这个大夫理直气壮地对老张的儿子说：
"我是专治驼背的。 (11) 只管人直， (12) 哪管人死？"

说 说

1) 這個大夫説他會治什麼病？
1) 这个大夫说他会治什么病？

1) 他説他會治駝背。
1) 他说他会治驼背。

2) 老張給大夫多少錢？爲什麼？
2) 老张给大夫多少钱？为什么？

2) 他給大夫十塊錢，因爲他請大夫治好他的駝背。
2) 他给大夫十块钱，因为他请大夫治好他的驼背。

3) 大夫用什麼東西治駝背？
3) 大夫用什么东西治驼背？

3) 他用兩塊木板和一根繩子治駝背。
3) 他用两块木板和一根绳子治驼背。

4) 大夫叫老張躺在哪兒？
4) 大夫叫老张躺在哪儿？

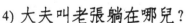

4) 他叫老張躺在一塊木板上面。
4) 他叫老张躺在一块木板上面。

5) 大夫用第二塊木板作什麼？
5) 大夫用第二块木板作什么？

5) 他用第二塊木板壓在老張的身上。
5) 他用第二块木板压在老张的身上。

6) 大夫用繩子作什麼？
6) 大夫用绳子作什么？

6) 他用繩子把兩塊木板綁在一起。
6) 他用绳子把两块木板绑在一起。

191

说 口 说

7) 大夫在木板上作什麼？
7) 大夫在木板上作什么？

7) 他在木板上跳了一個多小時。
7) 他在木板上跳了一个多小时。

8) 大夫解開木板的時候，
老張的背直了嗎？
8) 大夫解开木板的时候，
老张的背直了吗？

8) 老張的背直了。
8) 老张的背直了。

9) 老張爲什麼死了？
9) 老张为什么死了？

9) 他被木板壓死了。
9) 他被木板压死了。

10) 老張的兒子爲什麼要打大夫？
10) 老张的儿子为什么要打大夫？

10) 因爲大夫把他的父親治死了。
10) 因为大夫把他的父亲治死了。

11) 大夫告訴老張的兒子他只管
什麼？
11) 大夫告诉老张的儿子他只管
什么？

11) 他説他只管人直。
11) 他说他只管人直。

12) 大夫告訴老張的兒子他不管
什麼？
12) 大夫告诉老张的儿子他不管
什么？

12) 他告訴老張的兒子他不管
人死。
12) 他告诉老张的儿子他不管
人死。

想 ? 想

MOT CROISÉ / CROSS WORD PUZZLE

(   )
(   )
(   )
(   )
(   )
(   )
(   )

Mot mystère / Magic word _____

1) 我們要 ___ 學好中文，
   然後再去中國。
2) 綁東西要用這個。
3) 蓋房子要用很多。
4) 大夫叫老張 ___ 下。
5) 很多，很多年以前；
   不是現代。
6) 不舊
7) 不病了；沒有病了。
8) 用很多力氣作。

1) 我们要 ___ 学好中文，
   然后再去中国。
2) 绑东西要用这个。
3) 盖房子要用很多。
4) 大夫叫老张 ___ 下。
5) 很多，很多年以前；
   不是现代。
6) 不旧
7) 不病了；没有病了。
8) 用很多力气作。

写 写

大夫
治好
駝背

_____

_____

老張(张)
請(请)
治駝背
十塊錢(钱)

_____

_____

拿來(来)
兩塊(块)
木板

_____

_____

把
放在地上
躺在上面

_____

_____

把
壓(压)在上面

_____

_____

繩(绳)子
綁緊（绑紧）

_____

_____

写 写

拼命
跳

_____

_____

一個(个)多
小時(时)
解開(开)

_____

_____

雖(虽)然…,
　但是…
背直了
被壓(压)死

_____

_____

兒(儿)子
一…,就…
把…治死
打大夫

_____

_____

只管
人直

_____

_____

哪管
人死

_____

_____

VOCABULAIRE   VOCABULARY

Unité

A

哎呀	āiyā	ah!;aïe!;O la la!/My goodness!;Oh,dear!	5,9,12
矮	ǎi	petit(stature)/short(height)	13
唉	ài	aie!/Oh!	14
愛(爱)人	àirén	mari ou femme[aimer-personne]/ husband or wife[love-person]	5

B

拔掉	bádiào	arracher/pluck;pull out	7
把	bǎ	prép.;spéc.(chaise,couteau)/ prep.;m.w.(chair,knife,etc.)	1,2,23
白	bái	blanc/white	3,7
辦(办)	bàn	faire/do;manage	2
半	bàn	demi;moitié/half	5
半小時(时)	bàn xiǎoshí	demi-heure/half an hour	19
綁緊(绑紧)	bǎngjǐn	attacher serré/tie up tightly	30
棒球賽(赛)	bàngqiú sài	match de base-ball/base-ball game	9
包子	bāozi	petit pain farci cuit à la vapeur/steamed dumpling	2
寶寶(宝宝)	bǎobao	bébé(terme d'affection[trésor-trésor]/ baby(term of endearment)[treasure-treasure]	19
抱着	bào zhe	en portant dans les bras/holding in the arms	19
北京飯(饭)店	Běijīng Fàndiàn	Hotêl de Pékin/Peking Hotel	24
被	bèi	prép.(signe du passif)/prep.(passive voice)	22,30
笨	bèn	sot;stupide/stupid;silly;foolish	2,12
筆(笔)	bǐ	trait d'un caractère chinois écrit/ stroke of a Chinese written character	8
比	bǐ	prép.,plus...que;comparer/prep. than;compare	4
比..快	bǐ..kuài	plus vite que/faster than	6
比..大	bǐ..dà	être plus âgé que/to be older than	7
比..小	bǐ..xiǎo	être plus jeune que/to be younger than	7
比..遠(远)	bǐ..yuǎn	être plus loin que/to be farther than	25
比方說(说)	bǐfāng shuō	par exemple/for example	29
必須	bìxū	devoir;être obligé de/ must;to be obliged to	19
變(变)	biàn	changer(et devenir)/to change	12,25,27
表	biǎo	montre/a watch	9
別	bié	Ne...pas(impératif)/Do not(imperative)	4,23
別的	biéde	autre/other	3,14
並(并)且	bìngqiě	de plus/moreover	26,28
博物館(馆)	bówùguǎn	musée/museum	10

不但... 並且..	búdàn..bìngqiě	non seulement..mais aussi/not only..but also..	20
不得了了	bùdéliǎo le	C'est épouvantable/How awful!	1
不過（过）	búguò	cependant;mais/however	11
不好意思	bùhǎoyìsi	se sentir gêné/ to be embarrassed	15,28
不慌不忙地	bùhuāngbùmángde	avec calme/calmly	10
不耐煩(烦)地	bú nàifán de	avec impatience/impatiently	8
不用	búyòng	pas besoin de/need not;not have to	8,18
不識（识）字	bú shì zì	illettré;analphabète[pas-connaître-caractère]/ illiterate[not-recognize-character]	8

C

猜	cāi	deviner/guess	26
猜不出來	cāibuchūlai	incapable de deviner/cannot guess	26
才	cái	à peine; ne..que/only,just; then and only then	8,16
參觀 （参观）	cānguān	visiter/visit	10,24
參觀團（参观团）	cānguāntuán	groupe organisé de visiteurs ou de touristes/ group of visitors or tourists	10
草	cǎo	herbe/grass	5
差	chà	faible;déficient;inférieur/bad;inferior	28
差不多	chàbuduō	à peu près /approximately;more or less	24
常常	chángcháng	souvent/often	12,16
長城	Chángchéng	La Grande Muraille/The Great Wall	15
長靴子	chángxuēzi	bottes longues/long boots	6
城	chéng	ville/city	5
誠實（诚实）	chéngshí	honnête/honest	21
吃得飽（饱）	chīdebǎo	rassasiable/can make one feel full	2
抽烟	chōuyān	fumer(la cigarette)[extraire-fumée] smoke(cigaret)[draw out-smoke]	20
船夫	chuánfū	batelier/boatman	27
出來	chūlai	sortir de/come out	8
吹牛	chuīniú	se vanter[souffler-boeuf]/boast[blow-ox]	24,29
錘（锤）子	chuízi	marteau/hammer	14
聰（聪）明	cōngmíng	intelligent/smart	12
從...帶回來 （从）（带）（来）	cóng..dài huilai	rapporter (de) /bring back from	17
從...到	cóng..dào	de..à../from..to..	8
從....回來	cóng..huílai	revenir de/come back from	17,25
從....來	cóng..lái	venir de/come from.	25
從來沒..過 （从来）（过）	cónglái méi(yǒu) ...guò	jamais(auparavant) n'avoir.../have never...	19,29
從（从）前	cóngqián	Il était une fois;autrefois/Once upon a time; before	7
從頭到腳 （从头）（脚）	cóng tóu dào jiǎo	de la tête aux pieds/from head to foot	15

從(从)..往..	cóng..wàng..	de..vers../from..to..	16
從(从)小就..	cóng xiǎo jiù	depuis l'enfance/right from childhood	30
存在	cúnzài	exister/exist	10

D

打	dǎ	battre/beat up	30
打發(发)	dǎfā	passer(le temps);tuer(le temps)/kill(time)	26
打開(开)	dǎkāi	ouvrir/open	14
大風(风)	dà fēng	bourrasque[grand-vent]/gusty[big-wind]	27
大官	dà guān	haut fonctionnaire/high ranking official	21
大家	dàjiā	tout le monde[grand-famille]/everybody[big-family]	9
大聲(声)地	dà shēng de	fort(voix)[grande-voix]/loudly[big-voice]	13
大夫	dàifu	médecin/doctor	12,28
帶(带)	dài	apporter/bring	5
帶(带)回來(来)	dài huílai	rapporter/bring back	17
單(单)行道	dānxíngdào	rue à sens unique/one way street	9
但是	dànshi	mais/but	19,20
當(当)兵	dāngbīng	s'enrôler dans l'armée[être-soldat] / enlist;serve in the armed forces[be-soldier]	28
當(当)然	dāngrán	bien sûr/of course	11,21,25
..的時(时)候	...de shíhou	lorsque/when	17,24
燈(灯)	dēng	lumière;lampe/light;lamp	28
等	děng	attendre/wait	5
弟弟	dìdi	petit frère/younger brother	1
地方	dìfang	endroit/place	3
第三次	dì sān cì	la troisième fois/ the third time	12
點頭(点头)	diǎntóu	hocher la tête/nod	16
電視(电视)	diànshì	télévision/television	4
釘(钉)	dīng	clouer/to nail	14
動(动)物	dòngwù	animal	26
獨(独)裁	dúcái	dictateur/dictator;autocratic	29
肚子	dùzi	ventre/belly;stomach	1,2
對(对)	duì	prép.,à/prep.,to	5,10,20
對(对)	duì	spéc.,couple/m.w., couple , pair	19
numeral ...多	...duō	plus de/more than numeral	8,29,30
多麼(么)..啊!	duōme...a!	Quel...!;Que c'est...!/How...!	24

E

餓(饿)	è	avoir faim/hungry	2
兒(儿)子	érzi	fils/son	8,20

F

發(发)生	fāshēng	se produire/happen	17
法子	fǎzi	solution/way;method	26
翻譯(译)	fānyì	interprète;traducteur/interpreter;translator	15
房子	fángzi	maison/house	3
放	fàng	mettre;placer/put	30
非常	fēicháng	extrêmement[ne..pas-ordinaire]/extraordinarily; unusually[not-ordinary]	8,14
飛(飞)	fēi	voler/to fly	26
飛機 (飞机)	fēijī	avion[voler-machine]/plane[fly-machine]	17
飛機場(飞机场)	fēijīchǎng	aéroport/airport	25
分工合作	fēn gōng hézuò	coopérer en se répartissant l'ouvrage ou le travail/to cooperate by sharing the work	29
分錢(钱)	fēn qián	sou/cent	20
封	fēng	spéc.(lettre)/m.w.(letter)	8
夫妻	fūqī	époux et épouse/husband and wife	19
服務員(务员)	fúwùyuán	le préposé[servir -personne]/attendant[serve person]	19

G

蓋(盖)好	gàihǎo	finir de construire/finish construction	24
感謝(谢)	gǎnxiè	merci(rendre grâce)/be grateful;appreciate	17
干	gàn	faire/do	6
高	gāo	grand(stature)/tall,high	13
高興(兴)	gāoxìng	content[élevé-entrain]/delighted[high-spirits]	8,12
告訴(诉)	gàosu	dire à(qqn)/tell	8,14,16
根	gēn	spéc.(allumette,bâton)/m.w.(match,stick,etc.)	20
根根	gēn gēn	chacun des(bâtons d'allumettes)/ each one of (match sticks)	20
跟	gēn	avec/with	5,7
跟..比	gēn..bǐ	se comparer à;rivaliser/compete with;compare with	6
跟..不一樣(样)	gēn..bù yíyàng	différent de/different from	29
跟..借	gēn..jiè	emprunter de/borrow from	11
跟..一模一樣(样)	gēn..yìmú yíyàng	en tous points pareil à/exactly the same as	22
跟..一起	gēn..yìqǐ	avec(ensemble)/together with	18
跟..一樣年輕 (样)(轻)	gēn..yíyàng niánqīng	aussi jeune que/as young as	7
更	gèng	encore plus/even more	15
公共汽(车)	gōnggòng qìchē	autobus[public-automobile]/bus[public-car]	5
公平	gōngpíng	juste/fair	26
公園(园)	gōngyuán	parc/a park	13

工作	gōngzuò	travailler;travail/ to work;job	10
姑娘	gūniang	jeune fille/ girl	15
古時(时)候	gǔ shíshou	antiquité[ancien-temps]/ancient time	30
古老	gǔlǎo	ancien/ancient; old	10
故宮博物院	Gùgōng Bówùyuàn	The National Palace Museum	24
刮	guā	souffler(le vent)/blow(wind)	27
管	guǎn	s'occuper de/manage;take care of	29,30
跪下	guìxia	se mettre à genoux/kneel down	23
國(国)家	guójiā	état;pays/nation;country	21,24
過(过)	guò	passer/pass	12
過(过)河	guò hé	traverser la rivière/cross a river	27
過(过)去	guòqu	aller se joindre à/go over(there)	18

H

孩子	háizi	enfant/child	5
還(还)	hái	encore/still;yet	2,29
還(还)没...呢	hái méi(yǒu)...(ne)	toujours pas..!;ne pas..encore/ still not..yet; have not..yet	8,12,24
海關(关)	hǎiguān	douanes/customs	17
好久不見(见)	hǎo jiǔ bú jiàn	On ne s'est pas vu depuis longtemps/ Long time no see!	13
好玩	hǎowár	amusant/fun	4
好奇	hàoqí	curieux/curious	26
喝	hē	boire/to drink	12
盒	hé	boîte/box	20
黑	hēi	noir/black	7
後來(后来)	hòulái	plus tard/later,then	16
忽然	hūrán	soudain/suddenly	6,27
花白	huābái	grisonnant/half white(hair)	7
划得着	huádezháo	réussir à allumer/succeed in lighting a match	20
化石	huàshí	fossile/fossil	10
畫（画）	huà	peindre;dessiner/paint(a painting)	3
畫兒(画儿)	huàr	tableau;dessin/a drawing; a painting	3
話（话）	huà	propos;paroles;phrase/words;talk;sentence	1,8,13,16
壞（坏）	huài	brisé/broken;out of order	11
歡迎(欢)迎	huānyíng	accueillir/welcome	25
還給(还给)	huángěi	rendre à/return something to	26
換上	huànshang	changer et mettre/to change and put on	6
回答	huídá	répondre(à une question)/answer	1,5
回家	huíjiā	rentrer chez soi/go back home	11,14

回來(来)	huílái	revenir/come back	9,12
回去	huíqu	retourner/go back	14
火柴	huǒchái	allumette/a match(to light)	20

J

基督徒	jīdūtú	un(e) chrétien(ne)/Christian	16
‥極(极)了	‥jí le	extrêmement/extremely	28
既不‥也不	jì bù‥yě bù‥	(ne)‥ni‥ni‥/neither‥nor‥	29
價錢(价钱)	jiàqián	prix(de qqch)/price(of something)	21
剪草機(机)	jiǎncǎojī	tondeuse(à gazon)[couper-herbe-machine]/ lawn mower[cut-grass-machine]	11
檢(检)查	jiǎnchá	examiner/examine;check up	28
減少	jiǎnshǎo	réduire/reduce	27
件	jiàn	spéc.(vêtements;affaires)/m.w.(clothing,affairs)	25
建議(议)	jiànyì	proposer/suggest,propose	26
講解員 (讲)(员)	jiǎngjiěyuán	guide[expliquer-personne]/guide[explain-person]	10
交通警	jiāotōngjǐng	agent de circulation/traffic police	9
叫	jiào	faire faire(qqch à qqn)/ask,have(someone do something)	8
叫起來	jiào qilai	s'exclamer/exclaim	13
教練(练)	jiàoliàn	entraîneur/coach	22
教授	jiàoshòu	professeur(d'université)/professor	26
教堂	jiàotáng	église[religion-salle]/church[religion-hall]	16
接受	jiēshòu	accepter/accept	21
結婚	jiéhūn	être marié;se marier/get or be married	29
解開(开)	jiěkāi	délier/untie	30
借不到	jiè budào	ne pas pouvoir emprunter/unable to borrow	14
借給(给)	jiè gěi	prêter à/lend to	11
介紹	jièshào	présenter/introduce	10
緊(紧)	jǐn	serré(e)/tight	30
近視眼 (视)	jìnshiyǎn	myope[proche-regarder-oeil]/near-sighted [near-look-eye]	13
經過(经过)	jīngguò	passer devant/pass(a place)	16
鏡(镜)子	jìngzi	miroir/mirror	18
久	jiǔ	longtemps/long time	13,26
酒杯	jiǔbēi	verre à vin[vin-tasse]/wine glass[wine-cup]	18
酒館(馆)	jiǔguǎn	taverne[vin-établissement]/pub[wine-establishment]	18
酒鬼	jiǔguǐ	ivrogne[boisson alcoolisée-diable]/ alcoholic[liquor-devil]	18
就	jiù	alors;donc/then	1,2, 7
就是‥‥也	jiùshi‥yě‥	même si‥/even if‥	6

| 就要...了 | jiù yào ..le | être sur le point de/to be about;soon | 27 |
| 句 | jù | spéc. (phrase)/m.w.(sentence) | 15 |

K

開車(开车)	kāichē	conduire une voiture/drive a car	9
開(开)除	kāichú	expulser/expel	22
開(开)始	kāishǐ	commencer/start	2,8,26
開(开)玩笑	kāi wánxiào	plaisanter;faire une blague/ be joking	24
看不見(见)	kànbujiàn	ne pas pouvoir voir[regarder-ne...pas-voir]/ cannot see[look-not-see]	25 28
看得(见)	kàndejiàn	pouvoir voir/can see	25
考卷	kǎojuàn	texte d'examen/examination paper	22
考試(试)	kǎoshì	examen/examination	22
棵	kē	spéc.(arbre,plante)/m.w.(tree,plnat)	3
可愛(爱)	kě'ài	adorable;aimable[digne de-aimer]/cute;lovable [can-love]	5
可憐(怜)	kělián	pauvre[digne de-pitié]/pitiful[can-pity]	27
客氣(气)	kèqi	poli/polite	23,11
客廳(厅)	kètīng	salon[invité-salle]/living room[guest-hall]	4,29
口	kǒu	gorgée;bouchée;bouche/mouthful;mouth	12
哭	kū	pleurer/cry	19
塊(块)	kuài	spéc. morceau/m.w. piece(money,stone,meat,etc.)	10,30
礦泉水 (矿)	kuàngquánshuǐ	eau minérale[mine-source-eau]/ mineral water[mine-spring-water]	17

L

来	lái	afin de/in order to	26
崂山	Láoshān	mont Lao/Mount Lao	17
老虎	lǎohǔ	tigre/tiger	6
離開(离开)	líkāi	quitter/to leave	19
理直氣壯 (气)	lǐ zhí qì zhuàng	(agir,parler) avec assurance confiant d'être dans son droit[raison-juste-énergie-vigoureux]/ (speak,act) with confidence for one knows that one is in the right[reason-just-spirit-vigorous]	30
禮(礼)物	lǐwù	cadeau/gift	21
連(连)忙	liánmáng	avec hâte/hurriedly	8,23
連(连)也	lián..yě(dōu)..	même.../even...	7,8,14,20
亮	liàng	allumer les lumières/light is turned on;bright	28
輛(辆)	liàng	spéc.(voiture)/m.w.(car)	21
聊天	liáotiān	bavarder;jaser[bavarder-température]/ to chat[chat-weather]	29
鄰(邻)居	línjū	voisin[proche-habiter]/neighbour[nearby-reside]	5
另外	lìngwài	autre/other	30

樓（楼）	lóu	édifice/building	24
路邊（边）	lùbiān	sur le bord de la route[route-côté]/ by the roadside[road-side]	2
旅馆	lǚguǎn	hôtel[voyage-établissement]/hotel[travel 　　　　　　　　-establishment]	24
旅行	lǚxíng	voyage;voyager/travel;trip	6,26

M

馬馬（马）虎虎	mǎmǎhūhū	comme ci,comme ça;cahin-caha[cheval-cheval-tigre -tigre]/so so[horse-horse-tiger-tiger]	15
馬（马）上	mǎshàng	immédiatement;à l'instant/immediately	6,27
嘛	ma	particule modale indique signe d'évidence/modal particle 　　　　　　　indicating the obvious	
買（买）	mǎi	acheter/buy	2,9,20
買（买）回來	mǎi huilai	acheter et rapporter/buy and bring back	20
賣（卖）	mài	vendre/sell	2
賣（卖）给	màigěi	vendre à(qqn)/sell to someone	21
貓（猫）	māo	chat/cat	3
茅台酒	Máotái jiǔ	Maotai(marque de liqueur)/(brand of liquor)	17
沒關係（关系）	méi guānxi	ça ne fait rien[pas de-lien]/It does not matter 　　　　　　　　　[no-relation]	4
沒（有）法子	méi(yǒu) fǎzi	pas d'autre moyen/no other way	11,14
沒（有）意思	méi(yǒu) yìsi	pas intéressant/not interesting	19
謎語（谜语）	míyǔ	devinette/riddle	26
民主	mínzhǔ	démocratique[peuple-maître]/democratic 　　　　　　　[people-master]	29
明白	míngbai	comprendre[clair-blanc]/understand[clear-white]	16
木板	mùbǎn	planche de bois/board	30
木釘（钉）	mùdīng	mortaise/wood nail	14

N

拿出來	ná chulai	sortir(qqch)de[prendre-sortir]/take out	9
拿來	ná lai	apporter[prendre-venir]/bring[take-come]	30
拿起來	ná qilai	prendre(ramasser)[prendre-lever]/pick up[take-lift 　　　　　　　　　[take-lift]	18
拿着	ná zhe	en tenant/holding	23
哪裡（哪里）	nǎli!	Vous êtes trop aimable(expression polie en réponse à un compliment[où?]/Not really!(a polite denial to a compliment[where?]	15
哪兒（儿）都	nǎr dōu	partout/everywhere	15
難（难）看	nánkàn	laid[désagréable-regarder]/ugly[hard-look at]	23
年紀（纪）	niánji	âge/age	7
年輕（轻）	niánqīng	jeune[an-léger]/young[years-light]	7,19
年輕（轻）人	niánqīngrén	jeune[an(s)-léger(s)-personne(s)]/ young people[years-light-person]	28

唸	niàn	réciter;lire à haute voix/read aloud	16
牛	niú	vache(boeuf,bovin)/cow(ox,bovine)	3
紐約（纽约）	Niǔyuē	New York	28

P

怕老婆	pà lǎopó	dominé par sa femme[craindre-vieille femme]/ hen-pecked[afraid of-old women(wife)]	29
胖	pàng	gras(obèse)/fat(person),plump	13
跑不過（过）	pǎobùguò	ne pas pouvoir dépasser en courant[courir-pas-passer]/cannot outrun[run-not-pass]	6
跑出去	pǎo chuqu	sortir en courant[courir-dehors]/run out	20
跑過（过）去	pǎo guòqu	traverser en courant[courir-traverser]/ run across[run-go over]	2
跑回來（来）	pǎo huılai	revenir en courant[courir-revenir]/ run back[run-come back]	20
陪	péi	accompagner;aller avec qqn/accompany;go with	15
票	piào	billet/ticket	9
漂亮	piàoliang	joli/pretty	15
拼命地	pīnmìng de	de toutes ses forces[ne tenir aucun compte de-vie] /with all one's might[defy-life]	30
平等	píngděng	égalitaire/egalitarian	29
瓶子	píngzi	bouteille/bottle	12,17

Q

妻子	qīzi	épouse;femme/wife;spouse	7
奇怪	qíguài	étrange;être surpris/strange;be surprised	10
奇跡（迹）	qíjī	miracle[étrange-trace]/miracle[strange-traces]	17
汽車（车）	qìchē	voiture[essence-véhicule]/car[gasoline-vehicle]	21
前面	qiánmiàn	devant/in front	6
牆（墙）	qiáng	mur/wall	18
請（请）	qǐng	inviter;prier(demander)/invite;ask	8,10
請問（请问）	qǐng wèn	s'il-vous-plaît;puis-je vous demander.../ May I ask...(a polite way to ask a question)	10,28
球	qiú	implorer/beg	23
球鞋	qiúxié	espadrilles[ballon-soulier]/running shoes [ball-shoe]	6

R

然後（后）	ránhòu	ensuite/then	30
讓（让）	ràng	par/by	3
讓（让）...不好意思	ràng..bùhǎoyìsi	mettre(qqn) mal à l'aise/make someone embarrassed	25
熱（热）	rè	chaud/hot;warm	23
人民	rénmín	peuple/people	21
認識（认识）	rènshi	connaître;reconnaître/know;recognize	5,13

| 容易 | róngyi | facile/easy | 8 |
| 如果．．就 | rúguǒ..jiù.. | si...,alors.../if..,then... | 29 |

S

三分之一	sān fēn zhī yī	un tiers/one third	27
三分之三	sān fēn zhī sān	(les) trois tiers/three thirds	27
散步	sànbù	faire une marche[éparpiller-pas]/ take a walk [scatter-steps]	13
扇子	shànzi	éventail/fan	23
商人	shāngrén	commerçant/merchant	21
上	shàng	monter sur/go up to	4
上帝	Shàngdì	Dieu[en haut-seigneur]/God[above-Lord]	16
燒(烧)死	shāosǐ	brûler vif/burn to death	4
身體(体)	shēn(tǐ)	corps/body	28,30
什麼(么)都	shénme dōu	tout à fait/completely	13
生命	shēngmìng	vie/life	27
生氣(气)	shēngqì	fâché[faire naître-humeur]/angry[give rise-temper]	14
繩(绳)子	shéngzi	corde;ficelle/rope;string	30
剩下	shèngxia	il ne reste plus que/left	2
聖經(圣经)	shèngjīng	la Bible[la Sainte-Ecriture]/the Bible[saint-classic]	16
時間(时间)	shíjiān	temps/time	21,24
世界上	shìjie shang	dans le monde/in the world	14,16
事	shì	affaire/matter	14,25,29
是的	shìde	oui(c'est exact)/yes	1
是...還是(还)	shì..háishì..	est-ce...ou bien.../Is...or...	14,25
視力	shìlì	vue/vision	28
試(试)	shì	essayer;mettre à l'épreuve/try;test	20,25
手	shǒu	main/hand	16
瘦	shòu	maigre/skinny;lean	13
書(书)房	shūfáng	bureau;cabinet de travail[livre-chambre]/ study[book-room]	8,11
叔叔	shūshu	oncle(frère cadet du père)/uncle(father's younger brother)	25
樹(树)	shù	arbre/tree	3
樹(树)林	shùlín	forêt/forest	6
誰(谁)都	shuí dōu	tous;tout le monde/everyone	29
誰(谁)..誰	shuí..shuí..	quiconque/whoever	23
睡覺(觉)	shuì(jiào)	dormir/sleep	7,26
說(说)出	shuōchū	exprimer[parler-hors]/express[speak-out]	29
死	sǐ	mourir/die	4
送給	sònggěi	donner (un cadeau) à/ give (a present) to	21

算了吧!	suàn le ba!	laisse tomber!/forget it!	18
雖然..但是	suīrán..dànshì	bien que...,../Although...yet...	9,30
(虽)	suì	ans(d'âge)/years old	1
歲(岁)			

T

它	tā	il,elle(pronom pour animal ou chose)/it	10
太陽(阳)	tàiyáng	soleil/sun	4
糖水	tángshuǐ	eau sucrée/sugar water	12
躺	tǎng	se coucher;s'étendre/lie down;stretch out	30
特別	tèbié	particulièrement/particularly;especially	23
提議(议)	tíyì	suggérer/suggest	26
天啊!	tiān a!	Grand Dieu!/Heavens!	13
天氣(气)	tīanqì	le temps[ciel-air]/weather[sky-air]	23
條(条)	tiáo	spéc.(rue,poisson)/m.w.(street,fish,etc.)	9
條(条)件	tiáojiàn	condition	11
跳	tiào	sauter/jump	30
鐵釘(铁钉)	tiědīng	clou en fer/iron nail	14
聽說(听说)	tīngshuō	entendre dire/(I) heard; It is said	30
停車(车)	tíng chē	s'arrêter(arrêter véhicule)/stop a car;park a car	9
同樣(样)	tóngyàng	le même/same	26
同意	tóngyì	tomber d'accord[le même-idée]/agree[same-idea]	26
頭髮(头发)	tóufa	cheveux/hair(on the head)	7
圖(图)	tú	tableau/chart	28
退給	tuìgěi	rembourser/refund	19
脫下	tuōxia	ôter/take off	6
駝背	tuóbèi	bossu/hunchbacked	30

W

外國(国)人	wàiguórén	étranger/foreigner	9
完	wán	finir/finish	3,28
玩	wán	aller en excursion/tour;visit	15
萬(万)	wàn	dix mille/ten thousand	8
位	wèi	spéc.(personne,forme de politesse)/ m.w.(person,polite form)	8
喂	wèi	hé! (sert à attirer l'attention)/ hey!(call for other people's attention)	18
爲...服務 (为) (务)	wèi..fúwù	être au service de/to serve...	21
聞(闻)	wén	sentir(humer)/to smell(something)	17
無(无)聊	wúliáo	ennuyeux/boring	19,26

X

希望	xīwàng	désirer/hope	7
下	xià	descendre de/descend	17
夏天	xiàtiān	été/summer	23
先	xiān	en premier/first	26,30
先生	xiānsheng	monsieur/mister	9,22
相信	xiāngxìn	croire/believe;trust	1
箱子	xiāngzi	coffre(d'outils)/trunk	14
想	xiǎng	penser/think	1,2,11
想	xiǎng	avoir envie de/would like to	20
想不到	xiǎngbudào	c'est surprenant!;inimaginable/(I) can't believe it; unexpected	14
向	xiàng	en direction de/toward	9
向導(导)	xiàngdǎo	guide/tour guide	24
小船	xiǎo chuán	barque[petit-bateau]/small boat	27
小氣(气)	xiǎoqì	égoïste(chiche)/stingy	14
小氣(气)鬼	xiǎoqìguǐ	avare[égoïste-diable]/miser[stingy-devil]	14
小時(时)	xiǎoshí	heure/hour	8
小説(说)	xiǎoshuō	roman/novel	11
校長(长)	xiàozhǎng	directeur d'école/school principal	22
笑着	xiào zhe	en riant/while smiling	1
寫(写)着	xiě zhe	être écrit/written	10
新	xīn	neuf/new	21
新聞(闻)	xīnwén	nouvelles(bulletin d'information)/news	4
信	xìn	lettre/letter	8
信紙(纸)	xìnzhǐ	papier à letter/ paper for letter	8
行	xíng	ça ira(ça va)/be all right	6
姓	xìng	s'appeler(nom de famille)/surname	8
雄偉(伟)	xióngwěi	grandiose[héroïque-grandiose]/magnificent;great	24
學會(学会)	xuéhuì	avoir appris/to master;have learned	8
學問(学问)	xuéwén	savoir(connaissance)[apprendre-questionner]/ knowledge[learn-ask]	26
學(学)校	xuéxiào	école/school	22
學(学)者	xuézhě	érudit/scholar	27

Y

壓(压)	yā	appuyer(presser)/to press	30
壓(压)死	yāsǐ	écraser à mort/crush to death	30
演	yǎn	paraître à l'écran;donner une représentation/ play;show	4
眼睛	yǎnjīng	oeil,yeux/eye	1,28

搖來搖去	yáo lái yáo qù	se balancer d'un côté et de l'autre/ rock back and forth	27
搖醒	yáoxǐng	réveiller(qqn) en le secouant/wake up someone by shaking him	19
藥(药)	yào	remède/drug	12
藥(药)水	yàoshuǐ	remède sous forme liquide/ liquid medicine	12
要來	yàolái	vouloir avoir(qqch) de (qqn)/ask something from someone	23
要...了	yào..le	être sur le point de/soon	18
要是..就.	yàoshi..jiù..	si(au cas où)/if...then...	2,19,26
一..就..就	yī..jiù..	dès que/as soon as..	23,30
一半	yíbàn	la moitié/half	26
一遍	yíbiàn	une fois/once	15
一定	yídìng	sûrement/definitely;for sure	4
一共	yígòng	en tout/altogether	10,22
以後(后)	yǐhòu	après/after	2,4,8
以前	yǐqián	auparavant/before	13
以牙還牙 (还)	yǐ yá huán yá	dent pour dent[le truchement de-dent-rendre-dent]/ eye for eye, tooth for tooth[by means of tooth-repay-tooth]	11
已經(经)	yǐjīng	déjà/already	7,9,29
椅子	yǐzi	chaise/chair	28
一邊兒(边儿)	yìbiār..yìbiār..	.. pendant que/...,while...	5,8,9
一會兒(会儿)	yìhuǐr	(après) un moment/in a short while	27
意見(见)	yìjiàn	opinion[idée-point de vue]/[idea-viewpoint]	29
一模一樣(样)	yìmúyíyàng	tout à fait pareil;(se ressembler)comme deux gouttes d'eau[un-modèle-un-forme]/exactly the same[one-model-one-form]	5
藝術(艺术)	yìshù	art	27
因爲(为)	yīnwèi	parce que/because	1
音樂(乐)	yīnyuè	musique/music	27
應該(应该)	yīnggāi	devoir/ought to;should	26
用	yòng	se servir de; utiliser/use	11,24
游泳	yóuyǒng	nager/swim	27
有理(由)地	yǒu lǐ(yóu) de	sûr d'avoir raison(d'une façon bien raisonnée)/ sure to be in the right(in a confident manner)	3,20 25
有時(时)候	yǒu shíhou	tantôt.../sometimes...	29
有意思	yǒuyìsi	intéressant;amusant/interesting;fun	18
又	yòu	de nouveau/again	12,15,18
宇宙飛(飞) 行員	yǔzhòu fēixíngyuán	astronaute[univers-faire la traversée-personne]/ astronaut[universe-flight-person]	4
遠(远)	yuǎn	loin/far	25
院子	yuànzi	cour/yard	11

月亮	yuèliàng	lune/moon	4
越...越..	yuè..yuè..	plus...plus.../the more...the more...	18

Z

再	zài	puis/then	30
再說(说)	zài shuō	de plus/furthermore	22
在	zài	en train de/be(V.)ing	5
在...的 時(时)候	zài..de shíhou	pendant que/when	7
咱們	zánmen	nous(orateur et interlocuteurs compris)/ we,us(includes both speaker and listeners)	14,18
糟糕	zāogāo	fitchre!;sapristi![moisi-gâteau]/what bad luck! Damn it![spoiled-cake]	9,28
糟蹋	zāotà	gâcher (endommager)/spoil	23
早	zǎo	plutôt/sooner	2
怎麼(么)	zěnme	comment ce fait-il que/how come ..	3,8,10
怎麼辦(么办)	zěnme bàn	que faire?/What should one do?	2
站	zhàn	se tenir debout/stand	30
站起來	zhànqìlai	se lever debout/stand up	18
張(张)	zhāng	spéc.(papier,tableau)/m.w.(paper,picture,etc.)	3,8
張(张)大	zhāngdà	écarquiller(les yeux)/widely open(eyes,mouth)	1
長(长)大	zhǎng(dà)	grandir;être grand/grow up	4,5
丈夫	zhàngfu	mari/husband	7
找	zhǎo	chercher;(aller)trouver/look for	3,22
找不到	zhǎobudào	ne pas trouver/cannot find	20
這麼(么)	zhème	si(tellement)/so	1
這樣(样)	zhèyàng	ainsi;un tel/like this;such;this way	7,21
真的	zhēn(de)	vraiment/really	1,2,5
正	zhèng	être en train de/in the midst of	4,18
知道	zhīdao	savoir/know	2,10,16
只	zhī	spéc.(chat,tigre)/m.w.(cat,tiger,etc.)	3,6
直	zhí	droit/straight	30
只	zhǐ	seulement/only	2,11
只好	zhǐhǎo	être obligé de/cannot but	11
只要...就	zhǐyào..jiù..	il suffit de..(et)/as long as..then..	6
指着	zhǐ zhe	montrant du doigt/pointing	1,3,8
只好	zhìhǎo	guérir/cure	30
主意	zhúyì	idée/idea	18
注意	zhùyì	prêter attention (Attention!)/pay attention	10
專(专)家	zhuānjiā	spécialiste/specialist;expert	15
專(专)	zhuān	se spécialiser dans../specialized in..	30
裝	zhuāng	contenir/fill	17
準確(准确)	zhǔnquè	exact/accurate	10

部首表　THE 189 RADICALS

RADICAL, MEANING	ANCIENT FORM	COMMON POSITIONS	EXAMPLES (from the text)	RADICAL, MEANING	ANCIENT FORM	COMMON POSITIONS	EXAMPLES (from the text)
、		主案半为(為)		阝(在右) city		邑	都那部
一 one	一	三下才七上		凵 receptacle		凵	凶画
丨	丨	中半书(書)旧(舊)		力 strength		助加劳努务办	
丿		么生用反每右		水 water	川	氵	法河注汉滑游泳
乙(一乛乚)		九也买习电民		忄(心) heart		忄	快忙怕情愤慢懂
亠 cover		六产高京齐就		宀 roof		宀	字家完安室宿容
冫 ice		冬尽冷决冰冻		广 broad	广	庐	应床店庆
冖 to cover		写军农(農)		门(門) door	門	间	间开关闷
讠(言) word		请说词认(認)识(識)		辶(辵) walk		辶	边述过还送遇遍
二 two	二	五互开专无干些		寸 inch		导	导尃(专) 对(對)
十 ten	十	千午华南卖真(真)		扌 hand		扌	找报握操打
厂 cliff, plant	厂	历原厚压厥(厂)		工 work		压	左差
匚 basket		匡区巨		土 earth		地坦	地块场坐址堂在
卜(卜) to divine	卜	处卦占		士 scholar		士	声喜
刂 knife		别刮到刻判利前		艹 grass		苗	花茶英菜黄薄蓝葡萄
冂 borders		同	同再	大 big		大天	头买太天
八(丷) eight	八	分公关首共兴		廾(在下) folded hands		开	开异
人(人) man		个今介会舍从來		尢 crooked		尤	就龙尤
亻 man		你们他体但健休		弋 a dart		式	式
勹 wrap		句包够		小(⺌) small		当	少光当党堂常
刀(⺈) knife		员争 切		口 mouth		叫品吕	叫吗吃唸号品吸告
几(凡) table		风凡		囗 enclosure		国	国(國)图(圖)园(園)回
儿 man		先克光党		巾 kerchief		帅帛	师帮市常布帽
厶 private		去县参能		山 mountain		岩山	岩(巖)崎岖
又(又) also		友反发对难欢		彳 step		彳	行待很後(后)從(从)
辶 walk		迫迋建		彡 long hairs		彡	须影

Radical (meaning)	Ancient form	Seal/Bronze	Examples	Radical (meaning)	Ancient form	Seal/Bronze	Examples
卩 seal		卩卫	即却卫	夕 evening		夕夕	外多夜名岁
阝(在左) mound		阝	阳阶际院险	夂 from back			冬条夏复
犭 animal		犭	狗猪狮	瓦 tile		瓦瓦瓷	瓶瓯瓷
饣(食) eat		饣	饭(飯)馆(館)	止 stop		止	正整歷(历)
彐(彑刍) pig		彐彐	当(當)	攴 rap		攴	敲敓
尸 corpse		尸	展屋尾	日 sun		日日日	早易星明时春者
己(巳) self	己	己	导	日(曰) say		曰曰	會(会)書(书)最
弓 a bow		弓	张强	水(氺) water		永	泉永
子(孑) child		孑孔	学孔	贝(貝) cowry		贝	责贵买(買)卖(賣)
屮 sprout			芻屯	见(見) see		观见	观觉览
女 female		女女	她好妈奶 姓要	父 father		爸	爸爸
幺 small			乡幾(几)樂(乐)	牛(牛牜) cattle		牛	特牺牲 牧牛
丝(糸) silk		纟	红纸织经结给绩	手 hand		手	拿掌挙
马(馬) horse		马马	骂验	毛 hair		毛毛	毫毯
巛	巛	巛	灾巢	气 air		气	氧氢气(氣)
灬 fire		灬	点(點)热(熱)照	攵 literary		攵	教放 故敢敵
斗 peck		斗	斜料	片 a strip		片	版牌
文 literary			齐吝	斤 axe		斤斤	新所断欣
方 square		方	放旅旗旁	爪(爫) claws		爫爪	受爱(愛)爬
火 fire		火火	灯(燈)烟(煙)	月(月) moon		月月月	朋服脸背能期望
心 heart		心	忘志念想思意您	欠 owe		欠	欢次歌欧
户 door		户	所房雇	风(風) wind		風風	飓飘
礻(示) reveal		礻	礼社视	殳 lance		殳	殺毁段
王 king, jade		王王	玩现班理望球	聿(聿聿) stylus		書	書(书)肃
韦(韋) leather		韦韦	韧韩	爿 slice		爿	牀(床)將
木 tree		木相	东(東)椅枝相树本	毋(母) do not, mother		毋	每毒
犬 dog		犬犬	状哭	穴 cave		穴	穷究空穿
歹 bad		歹	死残殃	立 to stan		音立	意竟 站端

Radical	Ancient	Seal	Derived characters	Radical	Ancient	Seal	Derived characters
瓜 melon		瓜	瓢瓤	赤 red		赤	赧糖赫
鸟(鳥) bird		鳴鳥	鸡鸭鹅鸢	豆 bean		豆豐	頭(头)登豈豐(丰)
用 use		甫	甬甭	酉 spirits		酉	配酤醒酪
矛 lance		矛矛	柔務(务)	辰 hour		辰	辱農(农)
疋(疋) cloth		疋足	蛋楚疑	豕 pig		豕豕	豬猪象
皮 skin		皮皮	颇皴	卤(鹵) brine		鹵	鹹
衣 clothes		衣	袋裝裹表	里 hamlet	里	里量	野重
羊(⺶羊) sheep		羊羊	羡着美	足(⻊) foot		足	跟跃践跑跳路
米 rice		粖	粉糖料精	豸 reptile		豸	貓貌豹
耒 plough		耒	耕	谷 valley		谷	欲卻
老 old		老	耆考者	采 distinguish		采番	释番
耳 ear		耳耳	取恥联聪聽聲	身 body		身	躲躯射
臣 minister		臣臣	卧臨	角 horn		角角	解触
西(襾)		覀	要票	辛 bitter		辛辛	辦辩辞
页(頁) head		頁	预须頭领题	青 blue		青青	静靖
车(車) vehicle		车	轻转轧	疒 sickness		疒	病疼疾疲
比 compare		皆	毕皆	衤 clothes		衤	初被袍
戈 spear		戈划	成我或战划	礻 reveal		示	票禁
石 stone		石石	确破研硬碰磨	艮(艮) perverse		艮艮	艰既
龙(龍) dragon		龙	聋垄	竹(⺮) bamboo		竹	笔第笑笨简算節(节)
业		業	業(业)丛	臼 mortar		臼臼	兒舊(旧)
目 eye		目目	看省睡眼眶	自 self		自	息臭
田 land		田田	男累备留畜	血 blood		血	衅
罒 net		罒	罗罪	舟 boat		舟	船航
皿 dish		皿	益盗盟	羽 feather		羽	習(习)
钅(金) gold		鑫	钢铅钟钱错	系 silk		系	紧素系
矢 arrow		矢	知短	言 word		言	誉警誓
禾 grain		禾禾	和私秋科种香	麦(麥) wheat		麦	麯
白 white		白皇的	百皂的	走 walk		走	起赴赶超

虎 tiger	𠂷	虐 虓	處(处) 號(号)	其 its (lit)	簪 其	基 期 欺
* 虫 insect	𠂹	蚰	蚊 蛇	* 雨(霝) rain	雨	雷 電(电) 雪 需
* 缶 clay pot	缶	缸	缺 缸	* 齿(齒) tooth	齒	齿	龄
* 舌 tongue	舌	舌	甜 乱 辞 舘	* 黾(黽) toad	黽	黽	鼈
* 金 metal	金	金	鉴	* 門 fight	鬥	鬥	鬧 鬨 鬩
* 隹 bird	隹	隹 唯	隻 售 集 难 雏 雜(杂)	髟 hair	髟	髟	髮 鬍
* 鱼(魚) fish	魚	鲔 魚	鲜 鯉 魯	* 麻 hemp	麻	麻	磨 麼(幺)
* 音 sound	音	韵 音	韵 響	* 鹿 deer	鹿	鹿 鹿	塵(尘) 麒 麟
* 革 rawhide	革	靯 革	鞋 鞏	* 黑 black	黑	黑 黑	點(点) 默 黨(党)
* 骨 bone	骨	骨	體(体)	* 鼠 rat	鼠	鼠	鼬
* 食 eat	食	食 食	飡 餐	* 鼻 nose	鼻	鼻	鼾
* 鬼 ghost	鬼	鬼 鬼 鬼	魁 魔 魂			

This radical chart is based on 新华字典. One character sometimes appears in more than one radical, not necessarily related to its meaning.

* indicates this radical is also a character.

BASIC MEASURE WORDS

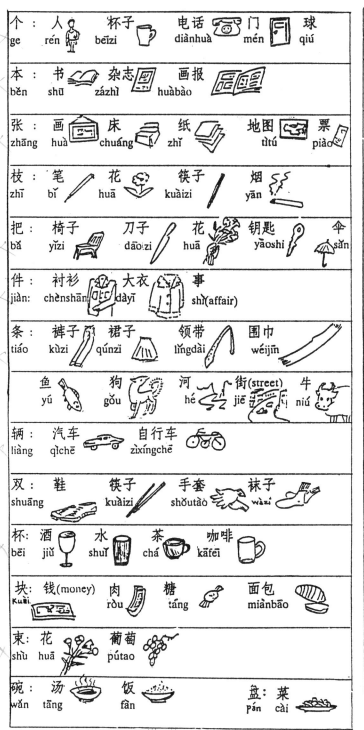

个 :	人	杯子	电话	门	球		门 :	课 (course)	节 :(session of class) 课
ge	rén	bēizi	diànhuà	mén	qiú		mén	kè	jié

本 :	书	杂志	画报		套 :	书	沙发(sofa)	衣服
běn	shū	zázhì	huàbào		tào	shū	shāfā	yīfu

张 :	画	床	纸	地图	票		付 :	眼镜	手套
zhāng	huà	chuáng	zhǐ	dìtú	piào		fù	yǎnjìng	shǒutào

枝 :	笔	花	筷子	烟		瓶:	酒	可口可乐	牛奶
zhī	bǐ	huā	kuàizi	yān		píng	jiǔ	kěkǒukělè	niúnǎi

把 :	椅子	刀子	花	钥匙	伞		封 :	信	位 :	客人
bǎ	yǐzi	dāozi	huā	yàoshi	sǎn		fēng	xìn	wèi	kèrén

件 :	衬衫	大衣	事		种 (kind):	书	花	东西
jiàn:	chènshān	dàyī	shì(affair)		zhǒng	shū	huā	dōngxi

条 :	裤子	裙子	领带	围巾		只 :	猫	老鼠
tiáo	kùzi	qúnzi	lǐngdài	wéijīn		zhī	māo	lǎoshǔ

	鱼	狗	河	街 (street)	牛		片 (slice):	面包	肉
	yú	gǒu	hé	jiē	niú		piàn	miànbāo	ròu

辆 :	汽车	自行车		架 :	飞机	电视机	收音机
liàng	qìchē	zìxíngchē		jià	fēijī	diànshìjī	shōuyīnjī

双 :	鞋	筷子	手套	袜子		棵 :	树	菜
shuāng	xié	kuàizi	shǒutào	wàzi		kē	shù	cài

杯 :	酒	水	茶	咖啡		根 :	烟	针	头发
bēi	jiǔ	shuǐ	chá	kāfēi		gēn	yān	zhēn	tóufa

块 :	钱 (money)	肉	糖	面包		间 :	房间
Kuài		ròu	táng	miànbāo		jiān	fángjiān

束:	花	葡萄		座 :	楼	山	桥	庙 (temple)
shù	huā	pútao		zuò	lóu	shān	qiáo	miào

碗 :	汤	饭		盘:	菜
wǎn	tāng	fàn		pán	cài